Viel Erfolg ! Neu

Deutsch für Anfänger

Isao Sudo

Ryoko Tsuruta

Yusuke Takamatsu

DOGAKUSHA

―――― 音声ダウンロード ――――
🎧がついている箇所は、ネイティブスピーカーによる録音があります。
同学社のホームページよりダウンロードできます。
https://dogakusha.crs-stream.jp/books/08979/

写真提供　　：須藤　勲・鶴田涼子・髙松佑介
表紙デザイン：アップルボックス
本文イラスト：渡邊奈央子

まえがき

　あのグーテンベルクの活版印刷術も人類史上大変な発明でしたが、現在進行中のいわゆるＩＴ革命は、これはおそらくそれとは比べものにならないほどの、文字通りのレヴォリューション（大変革）でしょう。スマートフォンにせよ、タブレットにせよ、ネット環境にある携帯情報端末は、ドラえもんの例の「どこでもドア」のようなものではないでしょうか。時空を超え、瞬時にあらゆる知識、情報にアクセスできるのですから。この「ドア」の向こうには、広大なドイツ語の世界も広がっています。言語は文化そのものですから、この世界を漫遊できれば、人生そのものが豊かなものになるでしょう。

　もちろん、それにはある程度ドイツ語を勉強する必要がありますが、今は、語学の環境も大きく様変わりをしました。たとえば、あの iTunes を使えば、Podcast 形式のテレビ、ラジオの番組を、いつでも、どこでも視聴できますし、またほかにもいろいろな形でドイツ語学習自体を楽しむことができます。まさにタブレットなどが大いに役に立つわけです。

　ただ、語学の一番の基礎のところはどうでしょう。これを学ぶのに、何か格別に便利な道具とか方法といったものは多分ないでしょう。ドイツ語の学習でも、初心に帰り、すなおに、そしてコツコツとやるしかないと思います。ABC（アー・ベー・ツェー）から発音、そして文法の基礎という風に積み重ねていくしかありません。語学は慣れが肝心です。目に触れるドイツ語はすべて覚えてしまうつもりでやってみてください。

　この『フィール・エアフォルク！ ―はじめてのドイツ語―』は、できるだけ簡明な教科書をと心がけた結果の産物です。このテキストが、学生諸君にとっても、また先生方にとっても使いやすいものであることを願っています。

　最後に、学生諸君にこの言葉を贈ります。「フィール・エアフォルク！（ガンバッテ！）」
2013 年　秋

著　者

新訂版にあたって

　本教科書は 2013 年に、赤澤元務（千葉工業大学名誉教授）と須藤で初版を作成しました。それから 10 年、多くのクラスでご使用いただき、先生方、そして学生の皆さんから貴重なご意見を頂戴しました。

　この度、赤澤の退職に伴い新たなメンバーを加えて改訂を行い、『Viel Erfolg! Neu』として再出発することになりました。これまでに頂戴したご意見も踏まえて練習問題を見直し、巻末に会話練習用の追加問題をつけるなど、より実践的で楽しく学べる教科書を目指しました。新たな『フィール・エアフォルク！』がより一層、使いやすいものになっていることを願う次第です。
2024 年　秋

著　者

目　次

アルファベート..1

LEKTION 0　つづりと発音..2
LEKTION 1　動詞の現在人称変化（1）、語順..............................6
LEKTION 2　名詞の性と格、動詞 sein と haben............................10
LEKTION 3　動詞の現在人称変化（2）、名詞の複数形、
　　　　　　　　es の用法...14
LEKTION 4　人称代名詞（3、4 格）、冠詞類..............................18
LEKTION 5　前置詞、zu 不定詞（句）....................................22
LEKTION 6　分離動詞、非分離動詞、従属接続詞..........................26
LEKTION 7　助動詞、möchte の用法、man の用法.........................30
LEKTION 8　動詞の三基本形、現在完了形、過去形........................34
LEKTION 9　受動文、再帰代名詞、再帰動詞..............................38
LEKTION 10　関係代名詞、関係副詞、指示代名詞.........................42
LEKTION 11　形容詞の格変化、比較・最上級.............................46
LEKTION 12　接続法..50

会話練習...54
補足...61
単語集...71
主な不規則変化動詞表..79

Das Alphabet

活字体	字　名	発音	活字体	字　名	発音
A a	[aː]　アー	[a]	R r	[ɛr]　エル	[r]
B b	[beː]　ベー	[b]	S s	[ɛs]　エス	[s]
C c	[tseː]　ツェー	[ts]	T t	[teː]　テー	[t]
D d	[deː]　デー	[d]	U u	[uː]　ウー	[u]
E e	[eː]　エー	[e]	V v	[faʊ]　ファオ	[f]
F f	[ɛf]　エフ	[f]	W w	[veː]　ヴェー	[v]
G g	[geː]　ゲー	[g]	X x	[ɪks]　イクス	[ks]
H h	[haː]　ハー	[h]	Y y	[ˈʏpsilɔn]　ユプスィロン	[ʏ]
I i	[iː]　イー	[i]	Z z	[tsɛt]　ツェット	[ts]
J j	[jɔt]　ヨット	[j]			
K k	[kaː]　カー	[k]			
L l	[ɛl]　エル	[l]			
M m	[ɛm]　エム	[m]	Ä ä	[aː ʊmlaʊt]　アー・ウムラオト	[ɛː]
N n	[ɛn]　エン	[n]	Ö ö	[oː ʊmlaʊt]　オー・ウムラオト	[øː]
O o	[oː]　オー	[o]	Ü ü	[uː ʊmlaʊt]　ウー・ウムラオト	[yː]
P p	[peː]　ペー	[p]			
Q q	[kuː]　クー	[k]	ß ß	[ɛs ˈtsɛt]　エス・ツェット	[s]

Lektion 0　つづりと発音

1　発音の原則

1. だいたいローマ字を読むように発音します。
2. アクセントは基本的に最初の母音（第1音節）におかれます。
3. そしてアクセントのある母音は：

   子音字1個の前では長く、2個以上の前では短く発音します。

   　　ha<u>b</u>en　持っている　　ko<u>mm</u>en　来る

4. なお、母音＋h の場合、この h は発音せず、前の母音をつねに長く発音します。**aa, ee, oo** も長音です。

   　　ge<u>h</u>en　行く　　Boot　ボート

では、早速、下記の単語も声に出して読んでみましょう。単語の意味も、英語の知識をたよりに見当をつけてみてください。**大文字で始まる単語は名詞です。**

Name	danken	finden	Tee	hoffen
Onkel	fallen	Haus	helfen	Kuh
kalt	Mann	unter	Ball	denken
Hut	golden	Bibel	alt	Karte

2　注意すべき母音

1)　変母音（ウムラウト）

ä	[ɛː] [ɛ]	Bär	クマ	Kälte	寒さ	「ア」の口で「エ」
ö	[øː] [œ]	Öl	オイル	können	できる	「オ」の口で「エ」
ü	[yː] [ʏ]	müde	疲れている	Hütte	小屋	「ウ」の口で「イ」

2

2) 特有のつづりになる母音

ei	[aɪ]	nein	いいえ	bleiben	とどまる
ie	[iː]	lieben	愛する	tief	深い
eu	[ɔY]	heute	今日	Euro	ユーロ
äu	[ɔY]	Fräulein	娘		

3) r, er の母音化

語末の -r [r]	er	彼	hier	ここに
語末の -er [ər]	Mutter	母	heiter	快活な

3 注意すべき子音

1) 語末、音節末の b, d, g

b	[p]	halb	半分の	Herbst	秋
d	[t]	Abend	晩	Kind	子供
g	[k]	Tag	日	Berg	山
ig	[ɪç]	Honig	はちみつ	ruhig	静かな
ng	[ŋ]	lang	長い	Frühling	春

2) ch と chs

a, o, u, au の後

ch	[x]	Nacht	夜	Tochter	娘
		Buch	本	auch	(も)また

上記以外の母音、あるいは子音の後

ch	[ç]	ich	私	manch	多くの	richtig	正しい
chs	[ks]	Fuchs	キツネ	sechs	6		
ck	[k]	backen	(パン等を)焼く	kicken	キックする		

3) 英語ともローマ字とも異なる読みの j, v, w, z

j	[j]	ja	はい	Japan	日本
v	[f]	Vater	父	Volk	民衆
w	[v]	Winter	冬	Wagen	自動車
z	[ts]	tanzen	踊る	Zeit	時間

　　（ds, ts, tz も z と同じ音： jetzt　いま）

4) s＋母音、sch、語頭の sp, st、そして ss と ß

s	[z]	Sommer	夏	sehen	見る
sch	[ʃ]	scheinen	輝く	schön	美しい
sp	[ʃp]	spielen	遊ぶ	sprechen	話す
st	[ʃt]	Stein	石	stehen	立っている
ss, ß	[s]	wissen	知っている	weiß	（wissen の変化形）

　　（短母音＋ss、長母音、二重母音＋ß）

5) dt と tsch

dt	[t]	Stadt	町
tsch	[tʃ]	Deutsch	ドイツ語

6) pf と qu

pf	[pf]	Apfel	りんご
qu	[kv]	Quatsch	ばかげたこと

🎧 4　外来語

ie	[iə]	Familie	家族	Historie	歴史・物語
eu	[eːʊ]	Museum	美術館		
th	[t]	Bibliothek	図書館	Theater	劇場

（c や ch で始まる単語、あるいは x, y の文字が入っている単語も多くが外来語です。なお、外来語に関しては、「**補足**」の説明も参考にしてください。）

簡単な挨拶のことば

Guten Morgen!	おはよう（ございます）。	Guten Tag!	今日は。
Guten Abend!	今晩は。	Gute Nacht!	おやすみ。

Wie geht es Ihnen?　　お元気ですか？
Danke, mir geht es gut.　　ありがとう、元気です。
Danke schön!　　ありがとう（ございます）。
Bitte schön!　　どういたしまして。
Auf Wiedersehen!　　さようなら。
Tschüs!　　じゃあね！

数　字

0 null	10 zehn	20 zwanzig	30 dreißig
1 eins	11 elf	21 einundzwanzig	40 vierzig
2 zwei	12 zwölf	22 zweiundzwanzig	50 fünfzig
3 drei	13 dreizehn	23 dreiundzwanzig	60 sechzig
4 vier	14 vierzehn	24 vierundzwanzig	70 siebzig
5 fünf	15 fünfzehn	25 fünfundzwanzig	80 achtzig
6 sechs	16 sechzehn	26 sechsundzwanzig	90 neunzig
7 sieben	17 siebzehn	27 siebenundzwanzig	100 (ein)hundert
8 acht	18 achtzehn	28 achtundzwanzig	200 zweihundert
9 neun	19 neunzehn	29 neunundzwanzig	300 dreihundert

385　dreihundertfünfundachtzig
1 000　(ein)tausend　　1 000 000　eine Million

曜日、月、四季　（これらの名詞はすべて男性名詞）

Montag	月曜日	Dienstag	火曜日	Mittwoch	水曜日	Donnerstag	木曜日
Freitag	金曜日	Samstag / Sonnabend (主にドイツ北部)			土曜日	Sonntag	日曜日

Januar	1月	Februar	2月	März	3月	April	4月
Mai	5月	Juni	6月	Juli	7月	August	8月
September	9月	Oktober	10月	November	11月	Dezember	12月

Frühling　春　　Sommer　夏　　Herbst　秋　　Winter　冬

Lektion 1 動詞の現在人称変化（1）、語順

1 動詞の現在人称変化

ドイツ語の動詞は、**不定詞**（原形）の最後がほとんど -en で終わります。次の動詞を発音してみましょう。

kommen 来る	wohnen 住んでいる	lernen 学ぶ
trinken 飲む	gehen 行く	hören 聴く
spielen 遊ぶ（英: *play*）	lieben 愛する	machen 作る、〜をする

（動詞の最後の -en あるいは -n を取れば、どことなく英語に似てくるものもあります。）

不定詞は、**語幹**と**語尾**に分かれます。

kommen 来る　　　　　　komm・en
　　　　　　　　　　　　語幹・語尾

この語尾の部分が、主語に合わせて変化します。その変化が**現在人称変化**と呼ばれるものです。そして人称変化した動詞を**定動詞**といいます。

kommen の人称変化

		単数			複数	
1人称	（私）	ich komme		（私たち）	wir kommen
2人称	（君）	du kommst		（君たち）	ihr kommt
3人称	（彼）(彼女)(それ)	er sie kommt es		（彼ら）(それら)	sie kommen
2人称		（あなた/あなたがた） Sie kommen			

◆ 2人称親称・敬称
du と ihr（親称）は、親しい間柄（友人、家族、恋人など）に、Sie（敬称）は、それ以外の関係（初対面の相手、仕事上の付き合いなど）で使います。

Er kommt aus Japan.　　　　　　　　彼は日本出身です。
Ich liebe Bach und Mozart.　　　　　私はバッハとモーツァルトが好きです。
Wir lernen Deutsch.　　　　　　　　私たちはドイツ語を勉強します。
Ich lerne jetzt Deutsch.　　　　　　 私は今ドイツ語を勉強しています。
Lernst du morgen Deutsch?　　　　 君は明日ドイツ語を勉強しますか？

★ドイツ語には、英語の *be* 動詞 *-ing* に当たる現在進行形はありません。現在人称変化形で、現在進行していることも、未来のことも表現できます。また、疑問文などで英語の助動詞 *do* に当たるものも使いません。

◆ 現在人称変化で注意が必要な動詞
1) arbeiten（働く）, finden（見つける）のように、語幹が t か d で終わる動詞の場合、du と er, sie, es, ihr のところの変化は、語幹と語尾の間に e を足します。
2) reisen（旅行する）, heißen（～という名である）のように、語幹が s か ß、または tanzen（踊る）のように z で終わる場合、du の変化は語尾が t のみになります。

	arbeiten		
ich	arbeite	wir	arbeiten
du	arbeitest	ihr	arbeitet
er,sie,es	arbeitet	sie/Sie	arbeiten

	heißen		
ich	heiße	wir	heißen
du	heißt	ihr	heißt
er,sie,es	heißt	sie/Sie	heißen

Er arbeitet in Frankfurt.　　　　　　　彼はフランクフルトで働いています。
Wie heißt du?　　　　　　　　　　　　君はなんという名前ですか？
Ich heiße Mariko Chiba.　　　　　　　私は千葉真理子といいます。

2　語　順

1) 平叙文：**定動詞は文中の第 2 番目**におきます（主語が文頭にくるとは限りません）。

Ich spiele heute Tennis.　　　　　　私は今日テニスをします。
Heute spiele ich Tennis.　　　　　　今日私はテニスをします。
Tennis spiele ich heute.　　　　　　テニスを私は今日します。

2) 決定疑問文：定動詞は文頭におきます。
・肯定の疑問文の場合：ja か nein で答える

Wohnst du in Chiba?　　　　　　　　君は千葉に住んでいますか？
- Ja, ich wohne in Chiba.　　　　　　はい、ぼくは千葉に住んでいます。
- Nein, ich wohne nicht in Chiba.　　いいえ、ぼくは千葉に住んでいません。

・否定の疑問文の場合：doch か nein で答える

Kommst du nicht aus Wien?　　　　君はウィーン出身ではないのですか？
- Doch, ich komme aus Wien.　　　いいえ、私はウィーン出身です。
- Nein, ich komme nicht aus Wien.　はい、私はウィーン出身ではありません。

3) 補足疑問文（疑問詞をともなう疑問文）：疑問詞－定動詞－主語の順になります。

Was lernt ihr?　　　　　　　　　　　君たちは何を学んでいるんですか？
- Wir lernen Deutsch.　　　　　　　私たちはドイツ語を学んでいます。

◆ W で始まる疑問詞

was 何	wo どこ	woher どこから	wohin どこへ
wie どのように	wann いつ	wer だれ	warum なぜ

Übungen　練　習　問　題

A　動詞を適切な形に変化させ、下線部に入れてみよう。（6ページの動詞を使ってください。）

1. _____ du Kaffee?　　　　　　　　君はコーヒーを飲むかい？
   - Nein, ich _____ Tee.　　　　　　いや、ぼくは紅茶を飲むよ。

2. _____ ihr morgen?　　　　　　　　君たちは明日来ますか？
   - Ja, wir _____ morgen.　　　　　　はい、ぼくたちは明日来ます。

3. _____ Sie heute Tennis?　　　　　　あなたは今日テニスをしますか？
   - Nein, heute _____ ich Fußball.　　いいえ、今日私はサッカーをします。

4. Wohin _____ du heute?　　　　　　君は今日どこへ行くんですか？
   - Ich _____ heute zur Uni.　　　　　私は今日大学へ行きます。

5. Wo _____ sie?　　　　　　　　　　どこに彼女は住んでいますか？
   - Sie _____ in Yokohama.　　　　　彼女は横浜に住んでいます。

6. _____ er gern Musik?　　　　　　　彼は音楽を聴くのが好きですか？
   - Ja, er _____ gern Musik.　　　　　はい、彼は音楽を聴くのが好きです。

　　　　　　　　　　　　　　　　◆ gern を使うと、趣味や好みを簡単に表現することができます。

B　次のドイツ語の文を、語順を変えて書いてみよう。

1. Er lernt in Japan Deutsch.　　　　　　彼は日本でドイツ語を学んでいる。
   In Japan _____ _____ _____.
   Deutsch _____ _____ _____.

2. Sie spielt morgen Fußball.　　　　　　彼女は明日サッカーをします。
   Morgen _____ _____ _____.
   Fußball _____ _____ _____.

C 日本語の意味に合うように、下線部に ja, nein, doch を入れてみよう。

1. Bist du Student / Studentin? 　　　　君は学生ですか？
   - _____, ich bin Student / Studentin. 　はい、学生です。

2. Kommst du morgen? 　　　　　　　　君は明日来るの？
   - _____, ich komme morgen nicht. 　いいえ、私は明日来ません。

3. Wohnst du nicht in Deutschland? 　　君はドイツに住んでいないの？
   - _____, ich wohne in Deutschland. 　いいえ、私はドイツに住んでいるよ。

4. Wohnt sie nicht in Frankfurt? 　　　　彼女はフランクフルトに住んでいないのですか？
   - _____, sie wohnt nicht in Frankfurt. 　はい、彼女はフランクフルトに住んでいません。

5. Wohnt er in Berlin? 　　　　　　　　彼はベルリンに住んでいますか？
   - _____, er wohnt in Berlin. 　はい、彼はベルリンに住んでいます。

Frankfurt am Main

レーマー広場

フランクフルト中央駅

金融都市フランクフルト

文化探訪キーワード
次の言葉をインターネットなどで調べてみよう。
- Goethe（ゲーテ）
- Apfelwein（リンゴ酒）
- ICE（イー・ツェー・エー）

Lektion 2　名詞の性と格、動詞 sein と haben

1　名詞の性と冠詞

ドイツ語の名詞には**性**があります。人間を表す名詞の場合、**自然の性**に合致することが多いですが、それ以外の名詞にも、**男性**、**女性**、**中性**のいずれかの性（**文法上の性**）があります。そして名詞につく冠詞も性によって異なります。

男性名詞		女性名詞		中性名詞	
der Vater	父親	die Mutter	母親	das Kind	子ども
der Wagen	車	die Blume	花	das Buch	本
der Wunsch	願い	die Liebe	愛	das Glück	幸運

★辞書では男性名詞、女性名詞、中性名詞はそれぞれ、**m, f, n** あるいは、**男**、**女**、**中**という記号で性が示してあります。この教科書では、男、女、中で名詞の性を示しています。

2　冠詞と名詞の格変化

名詞は、文中ではかならず1～4までのどれかの**格**で使われます。この格は、英語で「目的格」という場合の格と同じで、基本的には日本語の助詞の働きをするものです。すなわち、1格が助詞の「～は／～が」、2格が「～の」、3格が「～に」、4格が「～を」と同じ働きをします。そしてこの名詞の格を表すのが主に冠詞の格変化です。

1) 定冠詞の格変化（定冠詞：「その～」英 the）

	男性名詞	女性名詞	中性名詞
1格（～が）	der　Vater	die　Mutter	das　Kind
2格（～の）	des　Vater**s**	der　Mutter	des　Kind**(e)s**
3格（～に）	dem　Vater	der　Mutter	dem　Kind
4格（～を）	den　Vater	die　Mutter	das　Kind

2) 不定冠詞の格変化（不定冠詞：「ある～／一つの～」英 a, an）

	男性名詞	女性名詞	中性名詞
1格（～が）	ein　Wagen	eine　Blume	ein　Buch
2格（～の）	eines　Wagen**s**	einer　Blume	eines　Buch**(e)s**
3格（～に）	einem　Wagen	einer　Blume	einem　Buch
4格（～を）	einen　Wagen	eine　Blume	ein　Buch

（男性名詞、中性名詞の2格には -s か -es がつくことに注意。これについては**補足**を参照。）

3) 格の用法

ここでは、1、4、3、2 格の順に学んでいきます。

1 格の用法（～は／～が）

　　Der Mann ist Arzt.　　　　　　　　　その男性は医者です。
　　　　　　　　　　　　　　　　　　　　（身分、職業、国籍を表す場合は無冠詞）

　　Eine Frau trinkt dort Kaffee.　　　　ある婦人がそこでコーヒー 男 を飲んでいます。

4 格の用法（～を）

　　Ich kenne die Frau.　　　　　　　　私はその女性を知っています。
　　Den Mann kenne ich.　　　　　　　その男性を私は知っています。
　　Die Mutter kauft eine Tasche.　　　母はカバン 女 をひとつ買います。

3 格の用法（～に）

　　Die Tochter schenkt dem Vater eine Krawatte.　　娘は父に一本のネクタイ 女 を贈る。
　　Der Lehrer antwortet einem Schüler.　　　その教師は一人の生徒に答える。（antworten：～に答える）
　　Dem Arzt dankt der Vater.　　　　　その医者に父は感謝しています。

2 格の用法（～の：2 格の名詞は後から前の名詞を規定します。）

　　Der Vater des Kindes ist Arzt.　　　その子どもの父親は医者です。
　　Ich kenne den Titel des Buches.　　私は、その本のタイトル 男 を知っています。

3　重要な動詞 sein と haben

動詞 sein（英 be）と haben（英 have）は、不規則な変化をします。

sein（～である）				haben（～を持っている）			
ich	bin	wir	sind	ich	habe	wir	haben
du	bist	ihr	seid	du	hast	ihr	habt
er,sie,es	ist	sie/Sie	sind	er,sie,es	hat	sie/Sie	haben

Ich bin Student / Studentin.　　　　私は、学生（男子）／学生（女子）です。
　　　　　　　　　　　　　　　　　　（-in をつければ女性形になります。）
Sie ist fleißig.　　　　　　　　　　彼女は勤勉です。
Er ist jetzt in München.　　　　　　彼は今ミュンヘンにいます。
Ich habe Hunger.　　　　　　　　　私はおなかがすいています。（Hunger 男 空腹）
Er hat ein Auto.　　　　　　　　　彼は自動車 中 を一台持っています。
Haben Sie Durst?　　　　　　　　　のどは渇いていますか？（Durst 男 のどの渇き）
Ja, ich habe Durst.　　　　　　　　はい、のどが渇いています。

Übungen　練　習　問　題

A　下線部に、日本語の意味に合うように、定冠詞 (d-)、不定冠詞 (e-) を入れてみよう。
また、(　・　) には、下の例にならって、格と性を書いてみよう。

例：その男性は東京に住んでいます。

Der　　Mann wohnt in Tokio.
（1 格・男性）

1. 私はその男性に心から感謝しています。

   Ich danke d_____ Mann herzlich.
   　　　　　（　・　）

2. 父は新聞 [女] を買います。

   D_____ Vater kauft e_____ Zeitung.
   （　・　）　　　　　（　・　）

3. 一冊の本 [中] を母は買います。

   E_____ Buch kauft d_____ Mutter.
   （　・　）　　　　　（　・　）

4. 息子に母は一つの帽子 [男] を贈ります。

   D_____ Sohn schenkt d_____ Mutter e_____ Hut.
   （　・　）　　　　　（　・　）　　　　（　・　）

5. その教師 [男] の母親はミュンヘンに住んでいます。

   D_____ Mutter d_____ Lehrers wohnt in München.
   （　・　）　　　（　・　）

6. その学生 [男] は大阪で法学を学んでいます。

   D_____ Student studiert in Osaka Jura.
   （　・　）

B　日本語の意味に合うよう下線部に、動詞 sein, haben を適切な形にして入れてみよう。

1. Er _____ Hunger.　　　　　　　　彼はおなかがすいています。
2. _____ er Student?　　　　　　　　彼は学生ですか？
3. _____ du Zeit?　　　　　　　　　君は時間 [女] がありますか？
4. Sie _____ Lehrerin.　　　　　　　彼女は教師です。
5. Ich _____ einen Hund.　　　　　　僕は一匹の犬 [男] を飼っています。
6. Wo _____ du ?　　　　　　　　　君はどこにいるの？
7. Ich _____ gerade in München.　　今、ミュンヘンにいるよ。

C 音声を聴いて、空欄を埋め、そして日本語に訳してみよう。

（ミュンヘン留学中の音大生、千葉真理子さんが自己紹介を兼ねて話しています。）

(①　　　　)(②　　　　) Mariko Chiba.

Ich (③　　　　) jetzt in (④　　　　) und studiere Musik. Bach und Mozart liebe ich sehr. Ich spiele Klavier.

Nun habe ich einen Freund. Er heißt Thomas. Er ist auch (⑤　　　　) und (⑥　　　　) Robotik. Er liebt Roboter wie *Astro Boy*. Er (⑦　　　　) aber auch Geige.

Wir spielen oft zusammen.

Musik 囡 音楽	Klavier 囲 ピアノ	nun ところで	Freund 男 友だち
Robotik 囡 ロボット工学	Roboter wie Astro Boy 男 鉄腕アトムのようなロボット		
Geige 囡 ヴァイオリン	auch ～もまた	oft しばしば	zusammen 一緒に

München

新市庁舎

マリエン広場の噴水

ホーフブロイハウス

文化探訪キーワード
- **Oktoberfest**（オクトーバーフェスト）
- **Lederhose**（レーダーホーゼ）
- **Bierlokal**（ビアホール）

Lektion 3　動詞の現在人称変化（2）、名詞の複数形、es の用法

1　不規則な変化をする動詞

動詞のなかには、主語が 2 人称単数（親称の du）と 3 人称単数（er, sie, es）のときに、語幹の母音が変化するものがあります。こうした動詞は主に以下の 3 つのタイプに分類されます。

1）不規則な現在人称変化

	①a→ä タイプ		②e→i タイプ		③e→ie タイプ	
	tragen 運ぶ	fahren (乗り物で)行く	sprechen 話す	geben 与える	sehen 見る	lesen 読む
ich	trage	fahre	spreche	gebe	sehe	lese
du	trägst	fährst	sprichst	gibst	siehst	liest
er, sie, es	trägt	fährt	spricht	gibt	sieht	liest
wir	tragen	fahren	sprechen	geben	sehen	lesen
ihr	tragt	fahrt	sprecht	gebt	seht	lest
sie/Sie	tragen	fahren	sprechen	geben	sehen	lesen

★不規則な変化をするかどうかは、辞書で調べるか、この教科書の巻末の不規則動詞変化表を参照。

Er trägt eine Brille.　　　　　　　彼はメガネ 囡 を掛けている。
Du sprichst gut Deutsch.　　　　　君は上手にドイツ語を話すね。
Er gibt dem kind einen Apfel.　　　彼はその子どもに一つのリンゴ 男 をあげます。
Liest du die Zeitung?　　　　　　　君は新聞を読みますか？

2）そのほかの不規則動詞の現在人称変化

	werden 〜になる	nehmen とる	wissen 知っている	halten 持っている、保つ
ich	werde	nehme	weiß	halte
du	wirst	nimmst	weißt	hältst
er,sie,es	wird	nimmt	weiß	hält
wir	werden	nehmen	wissen	halten
ihr	werdet	nehmt	wisst	haltet
sie/Sie	werden	nehmen	wissen	halten

Er wird Arzt.　　　　　　　　彼は医者になります。
Sie nimmt eine Pizza.　　　　彼女はピザ 囡 にします。
Das weiß ich nicht.　　　　　それをぼくは知りません。

2 名詞の複数形

1) 複数形の種類

ドイツ語の複数形は、主に 5 つのタイプに分けられます。複数形では、名詞の性に関係なく、定冠詞は 1 種類だけです。

	単数形			複数形	
① 無語尾式 （ウムラウトするものがある）	der	Lehrer	教師 男	die	Lehrer
	der	Bruder	兄弟 男	die	Brüder
② -e 式 （ウムラウトするものがある）	der	Tag	日 男	die	Tage
	die	Nacht	夜 女	die	Nächte
③ -er 式 （必ずウムラウトする）	das	Kind	子ども 中	die	Kinder
	das	Buch	本 中	die	Bücher
④ -(e)n 式 （ウムラウトなし）	die	Schwester	姉妹 女	die	Schwestern
	die	Frau	女性 女	die	Frauen
⑤ -s 式（外来語）	das	Auto	自動車 中	die	Autos

2) 複数形の格変化

複数形も、1 格から 4 格までの格変化をします。

1 格	die	Brüder	die	Autos
2 格	der	Brüder	der	Autos
3 格	den	Brüdern	den	Autos
4 格	die	Brüder	die	Autos

辞書の見方
Tag 男 -[e]s/-e
　　　　2 格 / 複数形
Nacht 女 -/Nächte
　　　　2 格 / 複数形
Buch 中 -[e]s/Bücher
　　　　2 格 / 複数形

★複数形では、3 格の名詞の語尾に -n がつきます。ただし、-s か -n で終わる場合は、-n はつきません。

Die Mütter geben den Kindern Wasser. 　母親たちは、子どもたちに水 中 を渡します。
Er kauft zwei Bücher. 　彼は二冊の本を買います。

3 非人称の es と非人称動詞

1) 自然現象（英 *it rains* のような表現と同じ）

Es regnet den ganzen Tag. 　一日中雨が降っている。
Es blitzt und donnert. 　稲光がし、雷が鳴っている。

2) 生理現象

Es ist mir heiß. / Mir ist heiß. 　私は暑い。
Es friert mich. / Mich friert. 　私は寒い。（mir, mich については次の課を参照）

3) 重要な非人称表現

es gibt + 4 格　　…がある　　　*es geht um* + 4 格　　…が問題である

Es gibt dort eine Apotheke. 　あそこに一軒の薬局 女 があります。
Es geht um deine Zukunft. 　問題は君の将来 女 のことだ。

Übungen　練習問題

A　下線部に、[ ]内の動詞を主語に合わせて入れてみよう。

1. Er _____ das Buch.　　　　　[lesen]　　彼はその本を読みます。
2. Heute _____ er einen Hut.　　[tragen]　　今日は彼は帽子 男 を被っています。
3. Sie _____ nach Bremen.　　　[fahren]　　彼女はブレーメンへ行きます。
4. Was _____ du heute?　　　　[essen]　　君は今日、何を食べますか？
5. Sie _____ gut Japanisch.　　 [sprechen]　彼女は上手に日本語を話します。
6. _____ du den Film?　　　　　[sehen]　　君はその映画 男 を見るかい？
7. _____ du der Mutter?　　　　[helfen]　　君はお母さんを手伝いますか？

（helfen は、3格をとり、「～を助ける、手伝う」という意味になります。）

B　下線部に、[ ]内の動詞を主語に合わせて入れてみよう。

1. Was _____ du heute?　　　　　　　[nehmen]　君は今日は何にしますか？
   - Ich _____ ein Wiener Schnitzel.　　　　　　僕はウィーン風カツレツ 中 にするよ。
2. Was _____ du später?　　　　　　[werden]　君は将来何になるの？
   - Ich _____ es noch nicht.　　　　[wissen]　それはまだわからないよ。
3. Wann _____ du das Referat?　　　[halten]　いつ君はゼミ発表 中 するの？
   - Morgen _____ ich das Referat.　　　　　　明日私はゼミ発表をするよ。

C　日本語を参考に、ドイツ語の文を複数形にしてみよう。（動詞の変化にも注意）

1. Heute kaufe ich ein Buch.　　　　　　　今日私は本を一冊買います。
   → _____　→ 今日私は本を五冊買います。
2. Ich habe eine Schwester.　　　　　　　　私には姉が一人います。
   → _____　→ 私には姉が三人います。
3. Ein Hund spielt dort.　　　　　　　　　　一匹の犬 男 がそこで遊んでいます。
   → _____　→ 二匹の犬がそこで遊んでいます。
4. Das Auto ist cool.　　　　　　　　　　　その車はかっこいい。
   → _____　→ それらの車はかっこいい。
5. Ein Kind spielt im Garten.　　　　　　　一人の子どもが庭で遊んでいる。
   → _____　→ 二人の子どもたちが庭で遊んでいる。

D （　）内の語を用いて、日本語に合うよう文を作ってみよう。（動詞の変化に注意）

1. 今日は雨が降っています。（es / heute / regnen）

2. 雪はたくさん降っていますか？（es / schneien / viel）

3. 私は暑いです。（es / sein / mir / heiß）

4. この近くにカフェ 中 はありますか？（es / Café / ein / geben / hier）

E 音声を聴いて、（　）内の正しい選択肢に○を付け、そして日本語に訳してみよう。

（真理子が留学先で初めて会った学生と話しています。）　A: 真理子、B: 学生

A: Hallo, wie geht es Ihnen?
B: Danke, mir geht es (①super / gut / nicht so gut). Und Ihnen?
A: Danke, mir auch. Sind Sie Lehrer?
B: (②Ja / Nein), ich bin Student.
A: Oh, wollen wir vielleicht „du" sagen?
B: Ja, gern!
A: Was studierst du?
B: Ich studiere (③Philosophie / Physik / Psychologie).
A: Welche Sprachen sprichst du?
B: Ich spreche (④Chinesisch / Deutsch / Englisch / Französisch / Japanisch).
A: Sprichst du nicht Deutsch?
B: Doch, aber (⑤nur ein bisschen / nicht sehr gut).
A: Lernst du Deutsch?
B: Ja, ich lerne jetzt Deutsch.

Zürich

チューリヒの街並み

宗教改革の舞台にもなった
グロスミュンスター

文化探訪キーワード
・Heisse Schoggi
（ホット・チョコレート）
・Schwyzerdütsch
（スイスドイツ語）
・Albert Einstein
（アインシュタイン）

Lektion 4　人称代名詞（3、4格）、冠詞類

1　人称代名詞の格変化

名詞同様、人称代名詞にも主語になる1格のほか、2格、3格、4格があります。ただ2格は現在はほとんど使われませんから、ここでは省略します。3格、4格の形は次のとおりです。

	私	君	彼	彼女	それ	私たち	君たち	彼ら	あなた（がた）
1格	ich	du	er	sie	es	wir	ihr	sie	Sie
3格	mir	dir	ihm	ihr	ihm	uns	euch	ihnen	Ihnen
4格	mich	dich	ihn	sie	es	uns	euch	sie	Sie

033

Ich suche ihn.　　　　　　　　　　私は彼を探している。
Er liebt sie.　　　　　　　　　　　彼は彼女を愛している。
Er hilft ihr.　　　　　　　　　　　彼は彼女を助ける。
Der Wagen gehört ihm.　　　　　　その車は彼のものです。　　（人³ gehören　～のものである）

なお、ドイツ語の人称代名詞は、「人称」とはいうものの、3人称の人称代名詞は人以外の名詞を受けても使われます。

Ich trage immer eine Brille.　　　　私はいつも眼鏡をかけています。
Sie ist sehr leicht.　　　　　　　　それはとても軽いんですよ。
Wie findest du den Wagen?　　　　君はその車をどう思う？　　（finden　～を～だと思う）
- Ich finde ihn sehr gut.　　　　　私はそれをとてもいいと思う。

（上の例の sie は女性名詞の「眼鏡」を、下の例の ihn は男性名詞の「その車」を受けています。）

2　定冠詞類

定冠詞類は定冠詞に準じた格変化をする規定詞で、次のようなものがあります。

dieser この	solcher そのような	welcher どの
jeder 各々の	mancher いくつかの	aller すべての

dieser の格変化

	男性	女性	中性	複数
1格	dieser Wagen	diese Tasche	dieses Buch	diese Bücher
2格	dieses Wagens	dieser Tasche	dieses Buch(e)s	dieser Bücher
3格	diesem Wagen	dieser Tasche	diesem Buch	diesen Büchern
4格	diesen Wagen	diese Tasche	dieses Buch	diese Bücher

Dieses Fahrrad gehört ihr.　　　　この自転車 中 は彼女のものです。
Alle Studenten lernen in Japan Englisch.　すべての大学生が日本では英語を勉強する。
Ich sehe ihn fast jeden Tag.　　　　私はほとんど毎日 男 彼を見かける。
（この jeden Tag は副詞的4格）

3　不定冠詞類

不定冠詞類は不定冠詞 ein に準じた格変化をするものです。英語の *my, your* 等に当たる所有冠詞、そして否定冠詞 kein があります。

◆　所有冠詞

| mein 私の | dein 君の | sein 彼の | ihr 彼女の | sein それの |
| unser われわれの | euer 君たちの | ihr 彼らの | Ihr あなたの、あなたがたの |

mein の格変化

	男 性	女 性	中 性	複 数
1格	mein　Mann	meine　Frau	mein　Kind	meine　Kinder
2格	meines　Mann(e)s	meiner　Frau	meines　Kind(e)s	meiner　Kinder
3格	meinem　Mann	meiner　Frau	meinem　Kind	meinen　Kindern
4格	meinen　Mann	meine　Frau	mein　Kind	meine　Kinder

Sein Wagen ist ein BMW.　　　彼の車は BMW だ。（車種名はすべて男性名詞）
Ich kenne ihren Vater.　　　　私は彼女の父親を知っている。
Wie geht es Ihren Eltern?　　ご両親 複 はお元気ですか？

◆　否定冠詞

否定冠詞 kein の語形変化は、所有冠詞 mein の m を k に置き換えるだけです。
以下の3つの用例が否定冠詞の使い方の基本です。

1. Er hat einen Wagen.（不定冠詞）　　彼は車を持っている。
   Er hat keinen Wagen.　　　　　　　彼は車を持っていない。
2. Er hat Zeit.（無冠詞）　　　　　　　彼は時間 女 がある。
   Er hat keine Zeit.　　　　　　　　彼は時間がない。
3. Er hat Kinder.（無冠詞）　　　　　　彼は子供がいる。
   Er hat keine Kinder.　　　　　　　彼は子供がいない。

定冠詞（類）や所有冠詞が付いている場合、否定するには否定詞 nicht を使います。

　　Das ist nicht sein Wagen.　　　　それは彼の車ではありません。

Übungen　練習問題

A 下線部に適切な人称代名詞を入れてみよう。

1. Wir lieben _____.　　　　　　　私たちは君を愛している。
2. Er schenkt _____ einen Ring.　　彼は彼女に指輪 男 をプレゼントする。
3. Wir helfen _____.　　　　　　　私たちは彼らを助ける。
4. Dort steht ein VW. _____ gehört _____.
   そこに VW（Volkswagen）男 が一台とまっている。それは彼のものだ。
5. Er trägt heute eine Krawatte. _____ steht _____ gut.
   彼は今日、ネクタイ 女 をしている。それは彼に似合っている。（人³ gut stehen　〜に似合う）

B 下線部に適切な定冠詞類、不定冠詞類を入れてみよう。

1. _____ Handy gehört ihr.　　　　この携帯 中 は彼女のものだ。
2. _____ Tasche kaufst du?　　　　君はどのカバン 女 を買うの？
3. _____ Tag sieht er _____ Vater.　毎日、彼は彼女の父親を見かける。
4. Ich gebe _____ Schwester _____ Buch.
   僕は彼の妹にこの本 中 をあげる。
5. _____ Kinder sehen gern _____ Anime.
   子供たちはみんなこのアニメ 男 を見るのが好きだ。

C （　）内に否定冠詞 kein（変化に注意）、もしくは否定詞 nicht を入れてみよう。

1. Jetzt habe ich _____ Hunger.　　今、私はおなかがすいていません。
2. Wir haben heute _____ Zeit.　　　私たちは今日時間がありません。
3. Mariko hat jetzt _____ Durst.　　マリコは今、喉が渇いていません。
4. Das ist _____ ihr Fahrrad.　　　これは彼女の自転車 中 ではありません。
5. Er hat heute _____ Heft.　　　　彼は今日、ノート 中 を持っていません。
6. Das ist _____ seine Uhr.　　　　これは彼の時計 女 ではありません。

D 音声を聴いて、空欄を埋め、そして日本語に訳してみよう。
(書店での会話です。)
A: 真理子、B: 店員

A: Ich suche (①_____) Reiseführer für (②_____).
 (③_____) Reiseführer empfehlen Sie?
B: (④_____) Reiseführer hier ist ganz praktisch.
 Er (⑤_____) schöne Bilder und (⑥_____) auch ein Hotelführer.
 Reisen Sie nach Bremen?
A: Ja, ich (⑦_____) eine Woche in Bremen und besichtige Sehenswürdigkeiten.
 Ich fahre auch nach Münster.
B: Gute Reise!

suchen 探す	Reiseführer 男 旅行案内書	empfehlen 勧める
hier ここ	ganz とても	praktisch 便利だ
schöne Bilder きれいな写真	Hotelführer 男 ホテル案内	Woche 女 一週間
besichtigen 見物する	Sehenswürdigkeiten 名所	Gute Reise! 良いご旅行を！

Bremen

ブレーメンの音楽隊の像

文化探訪キーワード
・**Hansestadt**（ハンザ同盟都市）
・**Bremer Stadtmusikanten**
 （「ブレーメンの音楽隊」）
・**Brüder Grimm**（グリム兄弟）

市庁舎の前のローラント像

Lektion 5　前置詞、zu 不定詞（句）

ドイツ語の名詞、代名詞はかならず文中では何格かで使います。このことは前置詞の後に置かれる名詞、代名詞に関しても同じです。そして何格を使うかは、前置詞によって決まっています。これを**前置詞の格支配**といいます。

1　3格支配の前置詞

aus　〜（の中）から	bei　〜のところで、〜の際に	mit　〜と一緒に、〜で(を使って)
seit　〜以来	nach　〜の後で、〜へ	zu　〜へ、〜のところへ
von　〜から、〜の（冠詞の2格の用法と同じ意味）		

Das Kind spielt mit dem Vater Karten.　その子どもは父と一緒にトランプをする。
Der Student wohnt bei seinem Onkel.　その学生はおじさんのところに住んでいます。

Sie fährt zu ihm.　彼女は彼のところへ行きます。
Ich fahre nach Berlin.　わたしはベルリンへ行きます。

★ zu と nach：zu は具体的な場所や人、催し物などの場合に、nach は地名や国名に使い（この場合無冠詞）、方向（向かう先）を表します。

2　4格支配の前置詞

durch　〜を通って	für　〜のために	ohne　〜なしに
um　〜の周りに、〜時に	gegen　〜に対し、〜時頃に	

Er arbeitet für seine Familie.　彼は家族 女 のために働いています。
Diesmal fährt er ohne seine Frau nach Deutschland.
　　　　　　　　　　　　　　　今回は彼は奥さんを連れずにドイツへ行く。

3　3・4格支配の前置詞

an　〜に接して	auf　〜の上	hinter　〜の後ろ
in　〜の中	neben　〜の隣、〜の横	über　〜の上方
unter　〜の下	vor　〜の前	zwischen　〜の間

3・4格支配の前置詞はこの９種類のみです。基本的に**空間**についての表現において使います。ある場所にいる（ある）こと、あるいは動作の行われている場所を表わす場合には３格、運動の方向を表わすときには４格をとります。

Ich lerne in der Bibliothek. 　　　　ぼくは図書館 [女] の中で勉強します。
（図書館の中＝動作の行われている**場所**）

Ich gehe in die Bibliothek. 　　　　ぼくは図書館の中へ行きます。
（図書館の中＝移動先の場所＝**方向**）

4　前置詞と定冠詞の融合形

前置詞の種類によっては、特定の定冠詞と融合することがあります。

an dem → am	an das → ans	zu dem → zum
zu der → zur	in das → ins	in dem → im
bei dem → beim	für das → fürs	von dem → vom

Ich gehe zur Schule. 　　　　ぼくは学校 [女] へ行きます。

Beim Frühstück liest mein Vater immer die Zeitung.
　　　　朝食 [中] の際に、私の父はいつも新聞を読みます。

5　zu 不定詞（句）

◆　zu 不定詞（句）の作り方

不定詞に zu をつけると zu 不定詞になります。
そのほかの文の成分を加えると、zu 不定詞句になります。

zu spielen　　　　遊ぶこと（zu 不定詞）

mit dem Freund Fußball zu spielen　　　　友達とサッカーをすること（zu 不定詞句）

◆　zu 不定詞（句）の用法

1）主語として：zu 不定詞句が文の主語の役割をする。

Deutsch zu lernen ist interessant. 　　　　ドイツ語を学ぶことは面白い。
Es ist interessant, Deutsch zu lernen. 　　　　ドイツ語を学ぶことは面白い。
　　　　（es を仮の主語とした場合）

2）目的語として：４格目的語の代わりに、zu 不定詞句が用いられる。

Ich plane, nach Deutschland zu fliegen. 　　　　ぼくはドイツへ行くことを計画している。

3）先行する名詞の内容として：zu 不定詞句が先行する名詞の内容を表す。

Hast du Lust, mit mir zur Party zu gehen? 　　　　君はぼくとパーティ [女] に行く気があるかい？

Übungen　練　習　問　題

A （　）内に前置詞を、〔　〕内に定冠詞を入れ文を完成させよう。融合形とある場合、前置詞と定冠詞の融合形を（　）に入れてみよう。

1. 私たちは試験 女 のために勉強している。
   Wir lernen（　　　）〔　　　　　〕Prüfung.

2. 彼女は公園 男 の周りをジョギングする。
   Sie joggt（　　　　）〔　　　　〕Park.

3. 授業 男 の後で、彼はコーヒーを飲む。
   （　　　　）〔　　　　〕Unterricht trinkt er Kaffee.

4. 私はその列車 男 で、京都に行きます。
   Ich fahre（　　　　）〔　　　　〕Zug nach Kioto.

5. 僕は駅 男 へ行きます。
   Ich gehe（　　　　）Bahnhof.　（融合形）

6. 教会 女 は、市庁舎 中 の近くにあります。
   Die Kirche steht in der Nähe（　　　　）Rathaus.　（融合形）
   （in der Nähe von ～：～の近くに）

B （　）内に前置詞を、〔　〕内に定冠詞を入れ、文を完成させてみよう。

1. 母親は彼女の子供を椅子 男 の上に座らせる。
   Die Mutter setzt ihr Kind（　　　　）〔　　　　〕Stuhl.

2. その子供は椅子の上に座っている。
   Das Kind sitzt（　　　　）〔　　　　〕Stuhl.

3. パソコン 男 の横にマグカップ 男 があります。
   （　　　　）〔　　　　〕Computer steht ein Becher.

4. パソコンの横に彼はマグカップを置きます。
   （　　　　）〔　　　　〕Computer stellt er einen Becher.

5. 私たちは街 女 の中へ行きます。
   Wir fahren（　　　　）〔　　　　〕Stadt.

6. 私たちは街の中をぶらつきます。
   Wir bummeln（　　　　）〔　　　　〕Stadt.

C （　）内の語を用いて、日本語に合うよう文を作ってみよう。（動詞の変化に注意）

1. 私は、息子とドイツへ行くつもりです。
（fliegen / planen / ich / zu / mit meinem Sohn / nach Deutschland）

_____

2. ピアノ 中 を弾くことは、私には楽しい。
（machen / spielen / es / zu / mir / Spaß / Klavier）

_____

3. あなたは、私と映画を観に行く気 女 がありますか？
（haben / gehen / Sie / Lust / zu / mit mir / ins Kino）

_____

D 音声を聴いて、空欄を埋め、そして日本語に訳してみよう。

（真理子がカフェでコーヒーのテイクアウトを注文しています。）　A: 真理子、B: 店員

A: Guten Tag!
B: Guten Tag! Was möchten Sie gern?
A: Ich nehme einen Kaffee.
B: (①　　　　) Zucker oder Milch?
A: (②　　　　) Zucker und Milch, bitte.
B: Gerne. Sonst noch etwas?
A: (③　　　　) meinen Freund nehme ich noch einen Cappuccino.
B: Zum Mitnehmen oder zum Hiertrinken?
A: Zum Mitnehmen, bitte.
B: Das macht (④　　　　) Euro.
A: (⑤　　　　) Kreditkarte, bitte.

KAFFEE-SPEZIALITÄTEN	
Kaffee	4,- €
Cappuccino	4,30 €
Milchkaffee|Café Latte	4,30 €
Latte macchiato	4,60 €
Entkoffeinierter Kaffee	4,- €
Espresso	3,20 €
Espresso doppelt	4,20 €

Zucker 男 砂糖　　Milch 女 ミルク
Mitnehmen 中 テイクアウト
Hiertrinken 中 店内で飲む

Wien

ウィーン楽友協会「黄金の大ホール」

フンデルトヴァッサーハウス

文化探訪キーワード
· **Kaffeehauskultur**
（カフェ文化）

· **Wiener Schnitzel**
（ウィーン風カツレツ）

· **Wiener Philharmoniker**
（ウィーン・フィルハーモニー管弦楽団）

Lektion 6　分離動詞、非分離動詞、従属接続詞

1　分離動詞

次の対照表の左がドイツ語の**分離動詞**で、右がそれに当たる英語です。

auf|geben	（あきらめる）	*give up*
auf|stehen	（立ち上がる、起きる）	*stand up, get up*
aus|gehen	（外出する）	*go out*
teil|nehmen	（参加する、出席する）	*take part*

ドイツ語の分離動詞は、英語の熟語動詞と呼ばれるものに相当します。英語の *up, out, part* に当たるのが auf, aus, teil で、これらが前つづりとして基礎動詞の前におかれ、形の上でも一つの動詞になったものです。

アクセントはつねに前つづりの上におかれます。そして辞書等の表記でも**前つづりと基礎動詞のあいだに｜（タテの棒線）**がついています。

英語と異なり、前つづりと基礎動詞がくっついた動詞が、なぜ「分離動詞」と呼ばれるのかは、次の用例で一目瞭然でしょう。

050

Ich **stehe** morgen um 6 Uhr **auf**. 　　私は明日 6 時に起きます。
Er **gibt** den Plan **auf**. 　　彼はその計画 男 を断念する。
Heute **geht** sie nicht **aus**. 　　今日、彼女は外出しない。
Nimmst du an der Party **teil**? 　　君はパーティに出席しますか？

このように平叙文や疑問文では、**前つづりが「分離」して文末**におかれます。

なお、基礎動詞がすでに Lektion 3 で習ったような不規則動詞の場合、人称変化はやはり不規則な変化になります。

ab|fahren　（出発する）

ich	fahre...ab	wir	fahren...ab
du	fährst...ab	ihr	fahrt...ab
er, sie, es	fährt...ab	sie/Sie	fahren...ab

◆　**分離動詞の zu 不定詞**

分離動詞の場合、zu 不定詞の zu は、前つづりと基礎動詞の間におき、一語のように書きます。

Es ist gesund, früh **aufzustehen**. 　　早起きは健康によい。

2 非分離動詞

非分離動詞は、分離しない前つづりがついた動詞です。英語で言えば、*become* のような動詞です。非分離の主な前つづりには次のようなものがあります。

> be-, emp-, ent-, er-, ge-, miss-, ver-, zer-

意味は違いますが、英語の *become* と同形の動詞としては bekommen（手に入れる）があります。前の課に出てきた empfehlen, gehören も非分離動詞です。
非分離動詞は普通の動詞のように使えばいいのですが、ただアクセントはかならず前つづりの次の音節におかれます。（例：bekómmen, gehören）

Sie bekommt einen Brief. 　　　彼女は一通の手紙 男 を受け取る。
Die Tasche gefällt mir sehr. 　　私はこのカバンがとても気に入っている。
Ich verstehe Sie nicht. 　　　　私はあなたのおっしゃることが分かりません。

3 従属接続詞

従属接続詞は副文を導く接続詞です。ここでは次の6つだけ挙げておきます。

> bis …まで、dass …ということ、ob …かどうか、obwohl …にもかかわらず、
> weil …なので、wenn …するとき、…すれば

従属接続詞が用いられると、主文、副文の構文になりますが、ドイツ語では**主文と副文のあいだはかならずコンマで区切ります**。そして**副文中の定動詞は文末**におかれます。

Wir spielen morgen Fußball, wenn das Wetter schön ist.
　天気 中 が良ければ、私たちは明日サッカーをする。

Er geht heute nicht zur Uni, weil er Fieber hat.
　彼は熱があるので、今日大学 女 へは行かない。

Ich weiß, dass sie morgen früh aufsteht. （副文中では分離動詞は分離しない。）
　私は、彼女が明日早起きすることを知っている。

副文－主文の順番になる場合は、主文の定動詞は副文の直後、コンマの後におかれます。

Wenn das Wetter schön ist, spielen wir morgen Fußball.

★ すでに習った w で始まる疑問詞（wer, was, wo 等）も副文を導きます。

Ich weiß nicht, wo er jetzt wohnt. 　　私は彼が現在どこに住んでいるか知りません。
Weißt du, wann er nach Deutschland fährt?
　　　　　　　　　　　　　　　　　彼がいつドイツへ行くか、君知っている？

Übungen　練習問題

A （　）内の分離動詞・非分離動詞を使って、次の文を完成させよう。

1. Ich _____ um 7 Uhr _____.（auf|stehen）
   私は 7 時に起きます。

2. Er _____ morgen nicht _____.（aus|gehen）
   彼は明日、外出しません。

3. Der Zug nach Berlin _____ gleich _____.（ab|fahren）
   ベルリン行きの列車 男 はすぐに出発します。

4. Die Vorlesung _____ um 3 Uhr _____.（an|fangen）
   その講義 女 は 3 時に始まる。

5. _____ er an dem Seminar _____?（teil|nehmen）
   彼はそのゼミ 中 に参加しますか？

6. Er _____ einen Brief.（bekommen）
   彼は一通の手紙を受け取る。

7. Das Hemd _____ mir sehr.（gefallen）
   私はこのシャツ 中 がとても気に入っている。

B （　）内の従属接続詞ないしは疑問詞を使って、次の二つの文をつなげてみよう。

1. Sie kommt heute nicht. Ihr Sohn ist krank.（weil）
   _____
   息子さんが病気なので、彼女は今日来ません。

2. Ich fahre mit ihr nach *Tokyo Disneyland*. Das Wetter ist schön.（wenn）
   _____
   天気が良ければ、僕は彼女とディズニーランドへ行く。

3. Ich weiß. Er kommt morgen in Tokio an.（dass）
   _____
   彼が明日東京に到着することを知っています。

4. Er jobbt jeden Abend im Supermarkt. Er ist ziemlich reich.（obwohl）
   _____
   彼はかなり裕福であるにもかかわらず、毎晩スーパー 男 でアルバイトをしている。

5. Wissen Sie? Wann kommt er wieder zurück?（wann）
   _____
   彼がいつ帰ってくるか、ご存知ですか？

C Bで作った1、2、4の文を、副文ー主文の順番にしてみよう。

1. _____
2. _____
4. _____

D 音声を聴いて、空欄を埋め、そして日本語に訳してみよう。

（大学での会話です。） A: 真理子、B: 音大の友人

A: (①_____) du, (②_____) Herr Professor Schneider heute (③_____) der Aula einen Vortrag über Bach hält?

B: Ja, das weiß ich schon. (④_____) du (⑤_____) dem Vortrag?

A: Ja, das Thema (⑥_____) Vortrags interessiert (⑦_____) sehr. Ich bin schon gespannt.

B: Wann fängt der Vortrag denn an?

A: Um 4.30 Uhr. Wenn du auch (⑧_____) (⑨_____), den Vortrag zu hören, dann gehen wir zusammen.

B: Gern!

Aula 囡 大講堂	einen Vortrag halten 講演をする	Thema 囲 テーマ
interessieren 興味を起させる	gespannt わくわくしている	dann だったら
zusammen 一緒に		

（時刻の言い方は**補足**を参照。）

Leipzig

バッハの像

バッハの活躍したトーマス教会

酒場（Auerbachs Keller）の前のファウストとメフィストフェレスの像

文化探訪キーワード
・Bach（バッハ）
・Gewandhaus（ゲヴァントハウス）
・Faust und Mephistopheles
（ファウストとメフィストフェレス）

Lektion 7 助動詞、möchte の用法、man の用法

1 助動詞

ドイツ語の助動詞は以下の 6 種類です。
現在人称変化は、主語が ich, du, er（sie, es）の場合、不規則な変化になります。

不定詞	dürfen してよい	können できる	mögen かもしれない	müssen ねばならない	sollen すべきだ	wollen つもりだ
ich	darf	kann	mag	muss	soll	will
du	darfst	kannst	magst	musst	sollst	willst
er,sie,es	darf	kann	mag	muss	soll	will
wir	dürfen	können	mögen	müssen	sollen	wollen
ihr	dürft	könnt	mögt	müsst	sollt	wollt
sie/Sie	dürfen	können	mögen	müssen	sollen	wollen

1） 助動詞を使った文の形

平叙文の場合、人称変化した助動詞が定動詞として文中の二番目の位置に、そして不定詞は英語とは異なり、かならず文末におかれます。

057

 Er **kann** gut Deutsch **sprechen**.　　　　彼は上手にドイツ語を話すことができる。

分離動詞の場合、分離動詞の不定詞をそのまま一語として文末に置きます。

 Ich will morgen um 6 Uhr **aufstehen**.　　私は明日 6 時に起きるつもりです。

副文では、定動詞である助動詞が文末におかれます。

 Ich weiß, dass er gut Deutsch **sprechen kann**.

            私は、彼が上手にドイツ語を話せることを知っている。

2） 助動詞の用例

dürfen　（許可）…してもよい：（否定は禁止）…してはいけない

 Darf ich hier Platz nehmen?　　　　ここに座ってもいいですか？
 Man **darf** hier nicht parken.　　　　ここに駐車してはいけません。
 （man は「人は、一般に人々は」の意味で用いられます。）

können　（能力、可能）…できる：（可能性）…かもしれない

 Sie **kann** Auto fahren.　　　　彼女は車を運転できる。
 Können Sie mir helfen?　　　　手を貸していただけますか？
 Das **kann** wahr sein.　　　　それは本当かもしれない。

mögen　（推量）…だろう

Er mag etwa vierzig Jahre alt sein.　　　彼は40歳くらいだろう。

müssen　…しなければならない、（否定）…する必要はない；…にちがいない

Dieses Buch muss ich bis übermorgen lesen.
　　　　　　　　　　　　　　　　　　この本を明後日までに読まなければならない。

Du musst ihn nicht anrufen.　　　君は彼に電話をかける必要はないよ。
Er muss krank sein.　　　彼は病気にちがいない。

sollen　…すべきである；（風評）…だと言われている

Soll ich dir beim Kochen helfen?　　　料理 中 を手伝おうか？
Du sollst so etwas nicht sagen.　　　君はそんなことを言うべきではない。
Er soll sehr freundlich sein.　　　彼はとても親切だそうだ。

wollen　（意思）…するつもりだ、…したい

Ich will hier warten, bis sie kommt.　　　彼女が来るまで、私はここで待つつもりだ。
Was willst du damit sagen?　　　君はそれで何が言いたいんだ？

2　知っておくと便利な möchte

mögen から派生した形である möchte は「（できれば）～したい」という、話し手の控えめな願望を表します。（英 would like to）

058

Ich möchte einmal nach Deutschand fahren.
私は一度ドイツへ行きたい。

Was möchten Sie trinken?
何をお飲みになりますか？

möchte の現在人称変化

ich	möchte
du	möchtest
er, sie, es	möchtet
wir	möchten
ihr	möchtet
sie/Sie	möchten

3　man の用法

man は、「人は、一般に人々は」の意味で用いられます。たいていの場合、日本語には訳しません。動詞の変化は、er, sie, es と同じです。（「男性」を表わす Mann 男 とは異なります。）

059

Man spricht in Österreich Deutsch.　　　オーストリアではドイツ語が話されます。
Hier kann man schwimmen.　　　ここで泳ぐことができます。
Wie sagt man das auf Deutsch?　　　それをドイツ語では何というのですか？

Übungen　練習問題

A 下線部に適切な助動詞を入れてみよう。

1. _____ man hier etwas essen?　　ここで何か食べることはできますか？

2. Er _____ auf die Gesundheit achten.　彼は健康 [女] に注意するつもりだ。

3. Sie _____ sehr gut Spanisch sprechen.
   　　　　　彼女はとても上手にスペイン語を話すことができる。

4. Ich _____ in Wien Musik studieren.　私はウィーンで音楽の勉強をしたい。

5. Er _____ jetzt im Krankenhaus liegen.　彼は現在入院しているそうだ。

6. Du _____ morgen nicht so früh aufstehen.
   　　　　　君は明日はそんなに早く起きる必要はないよ。

7. Du _____ hier nicht rauchen.　　君はここでタバコを吸ってはいけない。

8. Sie _____ eine Tasche kaufen.　　彼女はカバンを一つ買いたい。

B 次の文を、（ ）内の助動詞を使った文に書き換え、それを訳してみよう。

1. Er macht in den Ferien den Führerschein.（wollen）

   訳：

2. Sie nimmt an dem Seminar des Professors teil.（dürfen）

   訳：

3. Er jobbt heute Abend nicht.（müssen）

   訳：

4. Am Wochenende geht sie zu ihren Eltern.（können）

   訳：

5. Er kommt gleich zu mir.（sollen）

   訳：

C 音声を聴いて、空欄を埋め、そして日本語に訳してみよう。

（喫茶店での真理子とトーマスの会話です。）
A: 真理子、B: トーマス

A: Thomas, du (①_____) aus Freiburg, ja?

B: Ja, meine Heimatstadt ist Freiburg. Wie du weißt, ist es eine schöne, alte Universitätsstadt im Südwesten vom Schwarzwald.

A: Freiburg ist auch für den Umweltschutz berühmt. Man (②_____) dort nicht mit dem Privatwagen in die Stadtmitte fahren, nicht wahr?

B: Ja, aber man (③_____) auch mit dem Fahrrad überallhin fahren. Die Stadt ist doch ziemlich klein.

A: Ich (④_____) auch einmal nach Freiburg reisen.

B: Dann (⑤_____) ich dir die Stadt mit den schönen Bächle zeigen.

wie ～のように	Heimatstadt 囡 故郷の町	Universitätsstadt 囡 大学町
Südwesten vom Schwarzwald 黒い森地方の南西部		Umweltschutz 男 環境保護
berühmt（für 4 格とともに）～で有名な	Privatwagen 男 自家用車	
nicht wahr? ～でしょう？	überallhin どこへでも	zeigen 見せる

Freiburg im Breisgau

フライブルク大学

マルティン門

シュヴァーベン門

文化探訪キーワード
· **Freiburger Bächle**
（フライブルクの水路）
· **Umweltschutz**（環境保護）
· **Schwarzwald**（黒い森）

Lektion 8 動詞の三基本形、現在完了形、過去形

1 三基本形（不定詞－過去基本形－過去分詞）

過去基本形は過去形に、過去分詞は完了形や受動態（Lektion 9）に使います。三基本形には規則的な変化をするものと、不規則な変化をするものがあります。

1） 規則動詞の三基本形

不定詞から語尾の -en を取り、過去基本形では語尾に -te を、過去分詞では頭に ge-、語尾に -t を付けます。

不定詞		過去基本形	過去分詞
lernen	学ぶ	lernte	gelernt
wohnen	住んでいる	wohnte	gewohnt
studieren	～を専攻する	studierte	studiert

studieren のように不定詞が -ieren で終わる動詞（外来語）は、過去分詞では頭に ge- は付けません。

2） 不規則動詞の三基本形

gehen	行く	ging	gegangen
essen	食べる	aß	gegessen
kommen	来る	kam	gekommen
fahren	（乗り物で）行く	fuhr	gefahren
stehen	立っている	stand	gestanden
schreiben	書く	schrieb	geschrieben
haben	持っている	hatte	gehabt
sein	～である	war	gewesen

（不規則動詞の変化は、教科書巻末を参照。）

3） 分離動詞と非分離動詞の三基本形

分離・非分離動詞は、基礎動詞の変化に従います。分離動詞では、過去分詞の ge- は、前つづりと基礎動詞の間に入れます。非分離動詞の場合、過去分詞では ge- が付きません。

auf|stehen	起きる	stand...auf	aufgestanden
teil|nehmen	参加する	nahm...teil	teilgenommen
besuchen	訪問する	besuchte	besucht

2　現在完了形

現在完了形は、日常会話でよく用いられます。現在完了形では、文中の第2番目に完了の助動詞（haben か sein）を定動詞としておき、本動詞を過去分詞にして文末におきます。

　　主語 ＋ 助動詞（haben か sein）＋（そのほかの文の成分）＋ 過去分詞．

　　現　在　形: Er spielt jeden Tag Gitarre.　　　彼は毎日ギター 女 を弾いている。
　　現在完了形: Er hat jeden Tag Gitarre gespielt.　彼は毎日ギターを弾いていた。

◆ 完了形を作る助動詞　haben と sein

haben をとる動詞：他動詞（4格目的語をとる）のすべてと、自動詞（4格目的語をとらない）のうち、sein をとるもの以外。

sein をとる動詞：
　①場所の移動を表す動詞：gehen, fahren, kommen など
　②状態の変化を表す動詞：werden, sterben（死ぬ）など
　③その他いくつかの動詞：sein, bleiben（とどまる、滞在する）など

　　Ich bin nach Nürnberg gefahren.　　　　　私はニュルンベルクに行きました。
　　Hast du das Buch gelesen?　　　　　　　 君はその本を読んだかい？
　　- Ja, ich habe es schon gelesen.　　　　　うん、ぼくはそれをもう読んだよ。
　　- Nein, ich habe es noch nicht gelesen.　　いや、ぼくはそれをまだ読んでいないよ。

3　過去形

過去形は主に書き言葉、たとえば小説や報告書などで使われます。ただし、sein と haben の過去形は日常会話でもよく用いられます。過去形は過去基本形をもとにし、主語によって語尾を変化（人称変化）させて作ります。

過去基本形	wohnte	kam	hatte	war
ich -	wohnte	kam	hatte	war
du -st	wohntest	kamst	hattest	warst
er, sie, es -	wohnte	kam	hatte	war
wir -[e]n	wohnten	kamen	hatten	waren
ihr -t	wohntet	kamt	hattet	wart
sie/Sie -[e]n	wohnten	kamen	hatten	waren

　　Goethe schrieb in Weimar den „Faust".　　ゲーテはワイマールで『ファウスト』を書いた。
　　Wir waren damals in Berlin.　　　　　　　私たちは当時ベルリンにいた。
　　Ich hatte früher ein Auto.　　　　　　　　私は以前、車を持っていた。

Übungen　練　習　問　題

A 次の現在形の文を**現在完了形**に書き換えてみよう。

1. Sie wird glücklich.　彼女はしあわせになる。
   _____

2. Ich schenke ihm ein Buch.　私は彼に本をプレゼントします。
   _____

3. Fährst du in die Stadt?　君は街に行くのかい？
   _____

4. Er bleibt in Dresden.　彼はドレスデンに滞在しています。
   _____

5. Sie studiert in München Biochemie.　彼女はミュンヘンで生化学 女 を専攻しています。
   _____

6. Schreibst du deiner Mutter einen Brief?　君は母に手紙を書きますか？
   _____

B 分離動詞、非分離動詞に注意して、次の現在形の文を**現在完了形**に書き換えてみよう。

1. Er steht um 7 Uhr auf.　彼は7時に起きます。
   _____

2. Ich besuche das Deutsche Museum in München.　私はミュンヘンのドイツ博物館を訪問します。
   _____

3. Der Zug kommt pünktlich am Bahnhof an.　その列車は時刻どおりに駅に到着します。
   _____

4. Nimmst du an dem Ausflug teil?　君はその遠足に参加しますか？
   _____

C 日本語の意味に合うように、〔　〕内の動詞を過去形にして入れてみよう。

1. Wir _____ damals in München.〔sein〕　私たちは当時ミュンヘンにいた。
2. Er _____ früher eine Villa.〔haben〕　彼は以前、別荘 女 を持っていた。
3. Sie _____ in einer WG in Heidelberg.〔wohnen〕彼女はハイデルベルクのWG 女 に住んでいた。

D 音声を聴いて、空欄を埋め、そして日本語に訳してみよう。

（真理子が旅行先のワイマールでトーマスに手紙を書きました。）

Weimar, 28. August 2025

Lieber Thomas,

ich (①   ) letzten Sonntag in Weimar angekommen. Ich habe schon viele Sehenswürdigkeiten besichtigt.

Heute (②   ) ich Goethes Wohnhaus besucht. Danach bin ich durch den „Park an der Ilm" gebummelt. In diesem Park habe ich auch Goethes Gartenhaus gefunden. Am Abend bin ich ins Theater (③   ) und dort habe ich Schillers „Wilhelm Tell" gesehen. Diese Aufführung hat mir sehr gefallen.

Ich will morgen nach Leipzig (④   ), um ein Bach-Konzert zu hören.

Hoffentlich hast du auch schöne Ferien (⑤   ).

Viele Grüße
deine Mariko

---

letzten Sonntag この前の日曜日に　Goethes Wohnhaus 田 ゲーテの家　„Park an der Ilm" イルム公園
am Abend 夕方に　„Wilhelm Tell" 『ヴィルヘルム・テル』
Aufführung 女 上演　um〜zu 〜するために
hoffentlich 望むらくは　Ferien 複 休暇

Weimar

ゲーテとシラーの像

ゲーテの別荘

シラーの家

文化探訪キーワード
・**Schiller**（シラー）
・**Herder**（ヘルダー）
・**Bauhaus**（バウハウス）

Lektion 9　受動文、再帰代名詞、再帰動詞

1　受動文

受動文は現在完了形と似た構造をとります。助動詞として werden を用い、「〜される」という意味に用います。

　　主語 ＋ 助動詞 werden ....過去分詞.

　　Eine Sandburg wird von einem Kind gebaut.　砂の城 女 は子どもによって作られる。
　　Die Sandburg wird durch den Wind zerstört.　砂の城は風 男 によって壊される。
　　★行為者は von＋3 格、原因・手段は durch＋4 格によって表します。

1)　能動文に 4 格の目的語がある場合
4 格の目的語を 1 格の主語に変え、もとの主語を von＋3 格、あるいは durch＋4 格に変えます。

　　能動文　Der Vater verkauft die Villa.　父は別荘 女 を売る。
　　　　　　1 格（主語）　　　　　4 格（目的語）

　　受動文　Die Villa wird von dem Vater verkauft.　その別荘は父によって売られる。
　　　　　　1 格（主語）　　　　　von＋3 格
　　（受動文の過去、現在完了形については**補足**を参照。）

2)　能動文の主語が man の場合
man を主語に持つ文を受動文にする場合、man は省略します。

　　能動文　Man trinkt in Deutschland viel Bier.　ひとびとはドイツではたくさんビール 中 を飲む。
　　受動文　Viel Bier wird in Deutschland getrunken.　ビールはドイツではたくさん飲まれている。

3)　能動文に 4 格目的語がない場合
es を仮の主語として用います。文の先頭に来ない場合、es は省略します。

　　能動文　Die Tochter hilft der Mutter beim Kochen.　娘は料理の際に母を手伝う。
　　受動文　Es wird der Mutter von der Tochter beim Kochen geholfen.
　　　　　　　　　　　　　　　　　　　　　　　　　母は娘に料理を手伝ってもらう。
　　　　　　Der Mutter wird von der Tochter beim Kochen geholfen.　（es の省略）

2　状態受動

受動の助動詞に sein を使うと、「〜されている」という状態を表わす受動文になります。

　　Das Fenster ist geöffnet.　窓は開いている。（開けられたままになっている）
　　（Das Fenster wird vom Lehrer geöffnet.　窓は教師によって開けられる。）

3 再帰代名詞

再帰代名詞は一つの文の中で主語と同じものを表わす代名詞です。人称代名詞と似ていますが、三人称と二人称敬称（Sie）の場合だけ、sich という形になります。日本語の「自分」に近い用法です。

	ich	du	er, sie, es	wir	ihr	sie/Sie
3格（自分に）	mir	dir	sich	uns	euch	sich
4格（自分を）	mich	dich	sich	uns	euch	sich

070

Der Student lobt sich.　　　その学生は自画自賛する。
（Der Student lobt ihn.　　　その学生は彼（別の誰か）をほめる。）

Ich setze mich aufs Sofa.　　私はソファー 中 に座る。（自分をソファーに座らせる）
Ich kaufe mir das Buch.　　私は（自分に）その本を買う。
Er wäscht sich.　　　　　　彼は（自分の）体を洗う。（sich は4格）
Er wäscht sich die Hände.　彼は（自分の）手を洗う。（sich は3格）

主語が複数の場合は、再帰代名詞は「互いに」という相互代名詞の意味で用いられることもあります。

Sie lieben sich.　　　　　　彼らは（互いに）愛し合っている。

4 再帰動詞

再帰代名詞と結びつきの強い動詞を再帰動詞といいます。再帰代名詞の3格をとるものと、4格をとるものがあります。

> sich⁴ über et⁴ freuen　～を喜ぶ　　　　　　sich⁴ auf et⁴ freuen　～を楽しみにする
> sich⁴ für et⁴ interessieren　～に関心を持つ　sich³ et⁴ überlegen　熟考する
> sich⁴ beeilen　急ぐ　　　　　　　　　　　 sich⁴ verspäten　遅れる
> es handelt sich um et⁴　～が問題である（この es は非人称の es）

（sich³＝再帰代名詞3格、sich⁴＝再帰代名詞4格、et⁴＝etwas（何かあるもの：英 something）4格）

071

Ich freue mich über deinen Brief.　　私は君の手紙を喜んでいる。
Er freut sich auf die Party.　　　　　彼はパーティを楽しみにしている。
Die Studentin interessiert sich für Politik.
　　　　　　　　　　　　　　　　　　その学生は政治 女 に関心がある。
Ich überlege mir, was ich in Zukunft machen soll.
　　　　　　　　　　　　　　　　　　将来何をすべきか、私はじっくり考えます。
Es handelt sich um sein Studium.　　問題は彼の学業 中 のことです。

Übungen　　練習問題

A　次の文の下線部を主語にして、受動文に書き換えてみよう。

1. Die Studenten bauen <u>einen Roboter</u>.　学生たちはロボット 男 を制作する。

2. Er liebt <u>die Frau</u>.　彼はその女性を愛している。

3. Die Studentin fragt <u>den Professor</u>.　その学生は教授に質問する。

4. Man liest auch in Europa <u>Mangas</u>.　ひとびとはヨーロッパでもマンガを読む。

5. Der Wind schlägt <u>die Tür</u> zu.　風がドア 女 を閉める。（zu|schlagen: バタンと閉める）

B　日本語の意味になるように、（　）内に再帰代名詞を入れてみよう。

1. 彼は（自分に）一本のボールペン 男 を買う。
   Er kauft _____ einen Kugelschreiber.

2. その女性はイスの上に座る。
   Die Frau setzt _____ auf den Stuhl.

3. 私たちは喫茶店 中 で待ち合わせる。（sich⁴ treffen　会う）
   Wir treffen _____ im Café.

4. 彼らはとてもよく理解し合っている。
   Sie verstehen _____ sehr gut.

C　（　）内の単語を使い、再帰動詞の使い方に注意しながら日本語の文をドイツ語に直してみよう。

1. ぼくはドイツの文化 女 に興味があります。（die Kultur in Deutschland）

2. 私は旅行 女 を楽しみにしている。（die Reise）

3. 彼はその問題 中 をよく考える。（das Problem）

4. バス 男 は遅れている。（der Bus）

D 音声を聴いて、空欄を埋め、そして日本語に訳してみよう。

（あるパーティでのアメリカ人と真理子さんとの会話です。）
A: 真理子、B: アメリカ人

A: Wofür (①　　　) Sie (②　　　)?
B: Ich interessiere (③　　　) (④　　　) klassische Musik. Besonders gerne höre ich Mozart.
A: (⑤　　　) Sie dann schon einmal nach Salzburg (⑥　　　)?
B: Ja, ich (⑦　　　) vor drei (⑧　　　) in Salzburg. Da (⑨　　　) ich natürlich Mozarts Geburtshaus besucht. Ich erinnere mich noch (⑩　　　) die kleine Geige, die Mozart als Kind (⑪　　　) (⑫　　　) soll.
A: (⑬　　　) Musikstück von Mozart hören Sie denn am liebsten?
B: (⑭　　　) ist schwer, eines zu wählen. Aber wenn ich es unbedingt sagen (⑮　　　): Am liebsten höre ich das Klavierkonzert Nr. 20.

---

wofür（＝für＋was）	klassische Musik クラシック音楽	Geburtshaus 中 生家
besuchen 訪れる	sich erinnern 覚えている	noch まだ
die kleine Geige 小さなヴァイオリン	als Kind 子供のころ	
Musikstück 中 曲	am liebsten 一番好んで	schwer 難しい
eines 一つ（の曲）	wählen 選ぶ	unbedingt 強いて
Klavierkonzert 中 ピアノ協奏曲	Nr.（＝Nummer）番（号）	

Salzburg

モーツァルトの生家

文化探訪キーワード
・Mozart（モーツァルト）
・„Sound of Music"
　（「サウンド・オブ・ミュージック」）
・Mozartkugel
　（モーツァルトクーゲル）

ザルツブルク大聖堂

Lektion 10　関係代名詞、関係副詞、指示代名詞

1　定関係代名詞

定関係代名詞は先行詞をとる関係代名詞です。その先行詞が人か物かに関係なく、ドイツ語では主に以下の一種類の関係代名詞が使われます。2格と、複数の3格のところ以外は定冠詞と形は同じです。

	男　性	女　性	中　性	複　数
1格	der	die	das	die
2格	dessen	deren	dessen	deren
3格	dem	der	dem	denen
4格	den	die	das	die

定関係代名詞使用の四原則
①定関係代名詞の性、数は先行詞の性、数に合わせます。
②定関係代名詞の格は、関係文の中での働きによって決まります。関係文の中で動詞の主語の働きならば1格、直接目的語の働きならば4格という風に。
③関係文は副文ですから、主文と関係文のあいだはコンマで区切り、関係文中の定動詞は後置されます。
④また関係代名詞の省略はありません。

076

〔1格〕　Der Mann, der dort Kaffee trinkt, ist Herr Schneider.
　　　　そこでコーヒーを飲んでいる男性はシュナイダー氏です。

〔2格〕　Der Mann, dessen Hund unter dem Tisch still liegt, ist Herr Schneider.
　　　　その飼い犬がテーブルの下で静かにしている男性はシュナイダー氏です。

〔3格〕　Der Mann, dem ich diesen Sonntag beim Umzug helfe, ist Herr Schneider.
　　　　私がこの日曜日に引っ越し 男 を手伝う男性はシュナイダー氏です。

〔4格〕　Der Mann, den du im Café oft siehst, ist Herr Schneider.
　　　　君が喫茶店でよく見かける男性はシュナイダー氏です。

定関係代名詞の前に前置詞がおかれることもよくあります。

Der Mann, auf den ich im Café gewartet habe, ist Herr Schneider.
私が喫茶店で待っていた男性はシュナイダー氏です。

Das ist das Hotel, in dem wir heute übernachten.
これが私たちが今日泊まるホテルです。

2　関係副詞の wo

先行詞が場所や時を表わす場合、wo という関係副詞も使われます。
上に挙げた例文：Das ist das Hotel, in dem wir heute übernachten. は、wo を用いて、次のようにも言えます。

　　Das ist das Hotel, wo wir heute übernachten.

前置詞＋定関係代名詞の in dem よりは、関係副詞を使った文の方がどちらかと言うと、ややくだけた表現になります。もうひとつ例を挙げておきます。

　　Freiburg ist die Universitätsstadt, wo（＝in der）er früher studiert hat.
　　　フライブルクは彼が以前勉強した大学町 女 です。

wo は先行詞が時を表わす場合も使われます。

　　Den Tag, wo（＝an dem）ich dich zum ersten Mal gesehen habe, werde ich nie vergessen.
　　　君に初めて会った日を私は決して忘れない。

3　不定関係代名詞 was と wer

不定関係代名詞は先行詞をとらない関係代名詞です。「物」、「事柄」を表わす場合は was、「人」を表わす場合は wer を使います。

　　Was er sagt, ist immer übertrieben.　　彼の言うことはいつも誇張されている。
　　Wer so etwas sagt, ist ein Betrüger.　　そんなことを言う人は詐欺師だ。

ただ、was は次のような先行詞をとることがあります。

　　　alles　すべて　　　etwas　あること　　　nichts　何も…ない

　　Das ist alles, was ich jetzt weiß.　　これが私が現在知っているすべてです。
　　Nichts, was in diesem Artikel steht, ist korrekt.
　　　　　　　　　　　　　　　　　この記事 男 に書いてあることは何も正確ではない。

4　指示代名詞 der

指示代名詞は定関係代名詞と同形で、指示するものの性、数に合わせて使う。

1)　人や物を強く指示する。

　　Der Pullover hier gefällt mir sehr. Den nehme ich.
　　　ここのこのセーター 男 がとても気に入りました。これをいただきます。
　　Kennst du die Studentin dort? - Nein, die kenne ich nicht.
　　　君はそこにいる女子学生を知っている？――いや、あの娘は知らないね。

2)　名詞の反復を避ける。

　　Meine Meinung ist auch die meiner Frau.　　私の意見 女 は妻の意見でもある。

Übungen　練習問題

A 下線部に適切な定関係代名詞か関係副詞を入れてみよう。

1. Der Roman, _____ ich gerade lese, ist sehr interessant.
   私が今ちょうど読んでいる小説 男 はとても面白い。

2. Die Oper, _____ ich am liebsten sehe, ist *Don Giovanni* von Mozart.
   私が一番見たいオペラ 女 は、モーツァルトの《ドン・ジョヴァンニ》です。

3. Das ist der Bus, mit _____ wir heute zum Schloss Neuschwanstein fahren.
   これが、私たちが今日ノイシュヴァーンシュタイン城 中 へ乗って行くバスです。

4. Kennst du die Studentin, _____ da mit dem PC etwas schreibt?
   そこでパソコン 男 で何か書いている女子学生を君は知ってる？

5. Das ist das Restaurant, _____ er oft isst.
   それは彼がよく食事をするレストラン 中 だ。

6. Die Stadt, in _____ er geboren ist, liegt in Norddeutschland.
   彼が生まれた町は北ドイツにある。

B 下線部のことばを先行詞にして、次の二つの文を関係代名詞でつなぎ、訳してみよう。

1. Ich habe eine Tante. Die Tante spricht fließend Deutsch.
   _____
   訳: _____

2. Er schenkt seiner Freundin eine Tasche. Er hat die Tasche in Wien gekauft.
   _____
   訳: _____

3. Wie heißt die Stadt in Deutschland? Du hast in der Stadt zwei Jahre gewohnt.
   _____
   訳: _____

C 次の文の下線部に定冠詞、定関係代名詞、指示代名詞を入れて、訳してみよう。

1. Kennst du _____ Mann, _____ dort eine Zeitung liest? - Ja, _____ kenne ich sehr gut. Er ist mein Nachbar, mit _____ ich auch oft in einer Kneipe trinke.
   訳:

2. Was kostet _____ blaue Tasche, _____ im Schaufenster ist? - _____ Tasche aus Leder kostet 200 Euro. Das ist ein Sonderangebot. - Gut, _____ nehme ich.
   訳:

D 例にならって、下線部を変えて、練習してみよう。

A: Wer ist der Mann? あの男性は誰ですか？
B: Welchen Mann meinst du? どの男性のことを君は言っているのですか？
A: Den Mann, der <u>dort Tee trinkt</u>. あそこで紅茶を飲んでいる、男性のことです。
B: Das ist <u>Herr Meyer</u>. 彼はマイヤーさんです。

A: Wer ist die Frau? あの女性は誰ですか？
B: Welche Frau meinst du? どの女性のことを君は言っているのですか？
A: Die Frau, die <u>dort eine Zeitung liest</u>. あそこで新聞を読んでいる女性のことです。
B: Das ist <u>Frau Schneider</u>. 彼女はシュナイダーさんです。

Er trägt einen Hut.　　　　　Sie fährt mit dem Fahrrad.
　　　　Er wartet auf den Bus.
Sie joggt im Park.　　　　　Er spielt dort Tennis.

Lektion 11　形容詞の格変化、比較・最上級

1　形容詞の格変化

形容詞を名詞の前につけて使う場合（付加語的用法）、性と数、格に合わせて形容詞自体が変化します。

1）　定冠詞（類）＋形容詞＋名詞

	男性名詞 （子犬）	女性名詞 （子猫）	中性名詞 （子ブタ）	複数形 （小鳥）
1格	der kleine Hund	die kleine Katze	das kleine Schwein	die kleinen Vögel
2格	des kleinen Hund[e]s	der kleinen Katze	des kleinen Schwein[e]s	der kleinen Vögel
3格	dem kleinen Hund	der kleinen Katze	dem kleinen Schwein	den kleinen Vögeln
4格	den kleinen Hund	die kleine Katze	das kleine Schwein	die kleinen Vögel

2）　不定冠詞（類）＋形容詞＋名詞

	男性名詞 （ある古い塔）	女性名詞 （ある古い教会）	中性名詞 （ある古い家）	複数形 （われわれの古い城）
1格	ein alter Turm	eine alte Kirche	ein altes Haus	unsere alten Schlösser
2格	eines alten Turm[e]s	einer alten Kirche	eines alten Hauses	unserer alten Schlösser
3格	einem alten Turm	einer alten Kirche	einem alten Haus	unseren alten Schlössern
4格	einen alten Turm	eine alte Kirche	ein altes Haus	unsere alten Schlösser

3）　形容詞＋名詞

	男性名詞 （良いワイン）	女性名詞 （良い牛乳）	中性名詞 （良いビール）	複数形 （良い飲み物）
1格	guter Wein	gute Milch	gutes Bier	gute Getränke
2格	guten Wein[e]s	guter Milch	guten Bier[e]s	guter Getränke
3格	gutem Wein	guter Milch	gutem Bier	guten Getränken
4格	guten Wein	gute Milch	gutes Bier	gute Getränke

084

Das kleine Kind singt sehr gut.　　　　その小さな子どもは上手に歌います。
Ich habe ein gutes Wörterbuch.　　　　私は一冊の良い辞書を持っている。
Ich kaufe guten Wein.　　　　　　　　私は良いワインを買う。

2 形容詞、副詞の原級－比較級－最上級

形容詞・副詞には、比較級、最上級にする場合、規則的な変化をするものと、不規則な変化をするものがあります。

	原級		比較級 -er	最上級 -st / am -sten
規則変化	klein	小さい	kleiner	kleinst / am kleinsten
	alt	古い、年を取った	älter	ältest / am ältesten
	jung	若い	jünger	jüngst / am jüngsten
不規則変化	groß	大きい	größer	größt / am größten
	hoch	高い	höher	höchst / am höchsten
	gut	良い	besser	best / am besten
	viel	多い	mehr	meist / am meisten
	gern	～を好む（副詞）	lieber	am liebsten

（規則変化の場合でも、単音節の形容詞はウムラウトする場合があります。）

1） 原級を使った表現

Der Sohn ist so groß wie sein Vater.　　息子は彼の父親と同じくらいに大きい。

「同じくらいに～である」を表現するときには、「so＋形容詞の原級＋wie ～」という形になります。この文が否定されると以下のようになります。

Der Sohn ist nicht so groß wie sein Vater.　　息子は彼の父親と同じくらいには大きくない。

2） 比較を使った表現

比較表現では、als「～より」を使い、比較する対象を表します。

Der Schüler ist größer als der Lehrer.　　その生徒は教師より大きい。

比較級でも、付加語として用いることができます。

Das Matterhorn ist ein höherer Berg als die Jungfrau.
　　　　　　　　　　　　　　　　　　　　マッターホルンはユングフラウより高い山です。

3） 最上級を使った表現

Der größte Schüler spielt gut Basketball.　　その一番大きな生徒はバスケットボールが上手です。
Der Schüler ist der größte in der Klasse.　　その生徒は、クラス 女 の中で一番大きい。
Der Schüler ist am größten in der Klasse.　　その生徒は、クラスの中で一番大きい。

4） 副詞の原級、比較級、最上級

Ich trinke gern Kaffee.　　私はコーヒー（を飲むの）が好きです。（原級）
Ich trinke lieber Tee als Kaffee.　　私はコーヒーよりお茶（を飲むの）が好きです。（比較級）
Ich trinke am liebsten Bier.　　私は一番ビール（を飲むの）が好きです。（最上級）

Übungen　練 習 問 題

A 日本語に合わせ、下線部に形容詞をふさわしい形にして入れてみよう。

1. （groß 大きい）
   Ein _____ Hund schläft vor dem Haus. 一匹の大きな犬が家 中 の前で寝ている。

2. （klein 小さい, deutsch ドイツの）
   Ich miete den _____, _____ Wagen.
   私はその小さな、ドイツの自動車 男 を借りる。

3. （rot 赤い）
   Ich kaufe eine _____ Tasche. 私は一つの赤いバッグ 女 を買う。

4. （schick シックな）
   Er trägt einen _____ Hut. 彼はシックな帽子 男 をかぶっている。

5. （italienisch イタリア風の）
   _____ Essen ist populär in Deutschland.
   イタリア料理 中 はドイツで人気がある。

B 次の日本語の文を、（ ）内のヒントを参考にして形容詞（副詞）の原級、比較級、最上級を用いてドイツ語にしてみよう。

1. ペーターはマリアと同い年である。（Peter / Maria / wie / alt）
   _____

2. ペーターは私より若い。（Peter / jung）
   _____

3. ドナウ川はライン川より長い。（Donau 女 / Rhein 男 / lang）
   _____

4. 私は紅茶よりコーヒーを好んで飲みます。（trinken / Tee / Kaffee / gern）
   _____

5. 私はビールを飲むのが一番好きです。（trinken / Bier / gern）　（am ～sten を使って）
   _____

C 例を参考にして、下線部を入れ替え、世界の山の高さを比べてみよう。

Ist der Fuji höher als die Zugspitze? 富士山はツークシュピッツェより高いですか。
Ja, der Fuji ist höher als die Zugspitze. はい、富士山はツークシュピッツェより高いです。

die Zugspitze 2,962 m	ツークシュピッツェ（ドイツ）
der Fuji 3,776 m	富士山（日本）
die Jungfrau 4,158 m	ユングフラウ（スイス）
der Großglockner 3,798 m	グロースグロックナー（オーストリア）
der Brocken 1,142 m	ブロッケン（ドイツ）
das Matterhorn 4,478 m	マッターホルン（スイス）
der Montblanc 4,810 m	モンブラン（フランス）

ドイツ語圏の山々

ドイツ最高峰ツークシュピッツェ

スイスのユングフラウ

アルプスの風景

ブロッケンへ向かうハルツ狭軌鉄道の SL

文化探訪キーワード　・Heidi（ハイジ）　・Alphorn（アルペンホルン）　・Schäferhund（牧羊犬）

Lektion 12　接　続　法

「直接法」は客観的事実を述べるものですが、「接続法」は話者のさまざまな想いを主観的に述べるもので、「第１式」と「第２式」の二種類の形態があります。直接法とは微妙に語形が違いますから、まずはその違いに注意しながら、用法に慣れてください。（接続法の語形変化に関しては補足参照。）

1　外交的接続法（接続法第２式）

「（もし）できますなら」「（もし）よろしければ」といった非現実めかした控えめな表現です。動詞の形は、直接法の過去基本形をもとに作られています。

Ich möchte nach Berlin fahren.　　私はベルリンへ行きたい。
Ich hätte gern ein Glas Wasser.　　お水を一杯いただきたいのですが。
Das wäre sehr schön.　　それなら大変ありがたいのですが。
Könnten Sie mir sagen, wo der Bahnhof ist?　　駅がどこか教えていただけますか？
Sie sollten das nicht sagen.　　それはおっしゃらない方がいいですね。

上の例文はすべて、定動詞は英語の仮定法にあたる「接続法第２式」を用いたものです。

2　非現実話法（接続法第２式）

この非現実話法が英語の仮定法にあたるもので、事実ではないことを述べる接続法の使い方です。

Wenn ich viel Geld hätte, würde ich einen BMW kaufen.
もしたくさんお金を持っていたなら、BMW を買うのだが。

Wenn ich an deiner Stelle wäre, würde ich sofort zu ihr fahren.
僕がもし君の立場だったなら、ただちに彼女のところへ行くだろう。

Wenn の副文が仮定的条件を表わし、主文が結論部になるのですが、この部分は大体、「würde…不定詞」という形をとります。

仮定の部分は、「wenn…接続法第２式」の副文以外でも表わされます。

An deiner Stelle würde ich sofort zu ihr fahren.（君の立場だったら…）
Ich würde sofort zu ihr fahren.（僕だったら…）

また、「wenn…接続法第２式」で、実現不可能な願望も表わします。

Wenn ich nur viel Geld hätte!　　たくさんお金があればなあ！
Wenn ich doch bei ihr wäre!　　彼女のところにいられたらなあ！

3　要求話法（接続法第1式）

実現可能な要求を表わし、多くは Sie や wir に対して用いられます。

Kommen Sie einmal bei uns vorbei!　　一度我が家にお立ち寄りください。

Seien Sie bitte so nett und helfen Sie mir!
　　　　　　　　　　　　　　　　　どうか私を助けてください。

Gehen wir langsam zum Bahnhof!　　ぼちぼち駅へ行こう。

慣用的表現。

Gott sei Dank!　　　　　　　　　　ああ、よかった（＝神に感謝があれ）。

Es lebe die Freiheit!　　　　　　　　自由、万歳！

4　間接話法（接続法第1式、第2式）

この表現は、現在では主にマスコミの報道などに多く使われるもので、他人（たとえば政治家）の言説を客観的（伝達者の判断抜きで）に述べるためのものです。

Der Premierminister sagte, er bilde das Kabinett nicht um.
首相は、内閣改造はしないと言った。

Der Täter behauptet, er sei unschuldig.
犯人は、自分は無罪だと主張している。

5　als ob... の表現

これは英語の as if に当たる表現で、「まるで…のように」という副文を作ります。

Herr Mayer spricht so gut Japanisch, als ob er Japaner wäre.
マイヤー氏はまるで日本人のように上手に日本語を話す。

Er tat, als ob er nichts wüsste.　　彼はまるで何も知らないかのようなふりをした。

als ob の ob が省略されることがあります。その場合、ob の位置に定動詞がおかれます。

Er tat, als wüsste er nichts.

Übungen　　練習問題

A 下線部に（　）内の動詞を適切な接続法の形にして入れてみよう。

1. Ich _____ gern ein preiswertes Zimmer mit Dusche.（haben）
   シャワー付きの割安な部屋 中 がいいのですが。

2. _____ Sie mir auf dem Stadtplan zeigen, wo ich jetzt bin?（können）
   私がいまどこにいるのか、地図 男 で教えていただけますか？

3. Sie tat, als ob sie mich nicht bemerkt _____ .（haben）
   彼女は私に気付かなかったかのようなふりをした。

4. _____ Sie bitte hier Platz!（nehmen）
   どうぞここにお座りください。

5. Ich _____ einmal diesen deutschen Roman ins Japanische übersetzen.（mögen）
   私はいつかこのドイツ語の小説を日本語に翻訳したい。

B a と b の文をつなぎ、「もし…なら、…する（できる）のだが」という非現実話法の文にしてみよう。3、4、5 は主文に würde を使ってください。

1. a）Ich habe keine Zeit.
   b）Ich kann mit meiner Familie keine Reise machen.
   _____
   （もし時間があったら、家族と一緒に旅行ができるのだが。）

2. a）Ich bin kein Millionär.
   b）Ich kann kein altes Schloss in Deutschland kaufen.
   _____
   （もし億万長者なら、ドイツの古城を買うのだが。）

3. a）Ich kann nicht Auto fahren.　b）Ich mache mit ihr keine Ausfahrt.
   _____
   （もし車の運転ができたなら、彼女とドライブをするのだが。）

4. a）Ich bin mit ihr nicht verheiratet.　b）Ich führe kein glückliches Leben.
   _____
   （もし彼女と結婚をしていたなら、幸せな人生を送っているだろうに。）

5. a）Ich kann nicht gut Englisch sprechen.　b）Ich arbeite nicht im Ausland.
   _____
   （もし上手に英語が話せたなら、外国で仕事をするのだが。）

C 音声を聴いて、空欄を埋め、そして日本語に訳してみよう。

（真理子は、あるドイツ人特派員によるニュースを聞いています。）

In der gestrigen Pressekonferenz (① _____) der japanische Premierminister, Ende des Monats (② _____) er nach Berlin und bespreche mit der Bundeskanzlerin auch die Flüchtlingspolitik, die wirklich ein prekäres Thema ist. Dabei sagte er betreffs der Innenpolitik, er (③ _____) zurzeit an keine Steuererhöhung. Auf die Frage einer Reporterin, ob es ihm gesundheitlich gut (④ _____), (⑤ _____) der Premierminister scherzhaft: „Wenn möglich, (⑥ _____) ich auch im Flugzeug joggen."

---

gestrig 昨日の　　Pressekonferenz 女 記者会見　　Premierminister 男 首相
Ende des Monats 月末に　　besprechen 論議する
Bundeskanzlerin （ドイツ）連邦首相　　Flüchtlingspolitik 難民政策　　prekär 厄介な
betreffs der Innenpolitik 内政に関しては　　zurzeit 目下のところ　　Steuererhöhung 女 増税
Reporterin 女 女性レポーター　　gesundheitlich 健康面で　　scherzhaft 冗談めかして
Flugzeug 中 飛行機

Berlin

ドイツの国会議事堂

ブランデンブルク門

ベルリン大聖堂

文化探訪キーワード
・**Preußen**（プロイセン）
・**Berliner Mauer**（ベルリンの壁）
・**Ampelmann**（アンペルマン）

《会話練習》

各課で学んだことを参考に、練習してみよう。

1. 次の会話を読み、（　）や下線を入れ替えて、自己紹介してみよう。【Lektion 1】

A:	Guten Tag! Wie heißt du?	こんにちは！君は何という名前なの？
B:	Guten Tag! Ich heiße (Thomas).	こんにちは！僕はトーマスと言います。
A:	Woher kommst du?	君はどこの出身なの？
B:	Ich komme aus (Freiburg).	ぼくはフライブルクから来ました。　※ aus ～から
A:	Wo wohnst du?	どこに住んでいるんですか？
B:	Ich wohne in (München).	ぼくはミュンヘンに住んでいます。　※ in ～に
A:	Was machst du gern?	君は何をするのが好きなんですか？
B:	Ich <u>tanze</u> gern.	ぼくは踊るのが好きです。
	Ich <u>spiele</u> gern <u>Computerspiele</u>.	ぼくはコンピューターゲームをするのが好きです。

tanzen	踊る	reisen	旅行する
kochen	料理を作る	singen	歌う
lesen	読書する	malen	絵を描く
fotografieren	写真を撮る		
Fußball spielen	サッカーをする	Basketball spielen	バスケットボールをする
Deutsch lernen	ドイツ語を勉強する	Englisch lernen	英語を勉強する
Kaffee trinken	コーヒーを飲む	Tee trinken	紅茶を飲む
Musik hören	音楽を聴く	Filme sehen	映画を見る
Computerspiele spielen	コンピューターゲームをする		

（不定詞については補足を参照。）

木組みの家が並ぶ、小さな古い町ツェレ

ライン川の風景と古城

2. それぞれの職業の人が何を必要としているか、表の左右の単語を線で結び、パートナーとたずね合ってみよう。【Lektion 2】

※ brauchen 〜を必要とする

A: Was braucht <u>der Maler</u>?　　　　その画家 男 は何を必要としていますか？
B: <u>Er</u> braucht <u>Farben</u>.　　　　　　彼は絵具 複 を必要としています。
A: Was braucht <u>die Schriftstellerin</u>?　その小説家 女 は何を必要としていますか？
B: <u>Sie</u> braucht <u>einen Kugelschreiber</u>.　彼女はボールペン 男 を必要としています。

1) Bäcker, -in	パン屋	·	·	A) Backofen	男	パン焼き窯
2) Biologe, Biologin	生物学者	·	·	B) Computer	男	コンピューター
3) Friseur, -in	美容師	·	·	C) Farben	複	絵具
4) Koch, Köchin	料理人	·	·	D) Kochmesser	中	包丁
5) Lehrer, -in	教師	·	·	E) Kugelschreiber	男	ボールペン
6) Maler, -in	画家	·	·	F) Schere	女	ハサミ
7) Programmierer, -in	プログラマー	·	·	G) Tennisschläger	男	ラケット
8) Schriftsteller, -in	小説家	·	·	H) Schale	女	シャーレ
9) Tennisspieler, -in	テニス選手	·	·	I) Wandtafel	女	黒板

職業名は男性形に -in をつけると女性形になります（例：Bäcker 男　Bäckerin 女）。
ただし、Biologe 男, Biologin 女 は例外です。

3. 下線部を入れ替えて、会話をしてみよう。【Lektion 3】

A: Wie viele <u>Jacken</u> hast du?　　君はいくつジャケット 女 を持っていますか？
B: Ich habe <u>drei Jacken</u>.　　　　ぼくはジャケットを三着持っています。

T-Shirt, -s: 中 Tシャツ

Tasche, -n: 女 カバン

Wörterbuch, -bücher: 中 辞書

Schlüssel,- 男 鍵

Kugelschreiber,- 男 ボールペン

4. S. 17 の会話にならって、クラスメイトに専攻や話す言語を質問してみよう。【Lektion 3】

A: Hallo! Was studierst du?　　　　　こんにちは！君は何を専攻しているの？
B: Hallo! Ich studiere (Physik).　　　こんにちは！ぼくは物理学を専攻しているんだ。
A: Welche Sprachen sprichst du?　　　君は何語を話すの？
B: Ich spreche (Japanisch, Englisch, und Deutsch).
　　　　　　　　　　　　　　　　　　日本語、英語、それにドイツ語を話すんだ。

専攻名：

Biologie	生物学	Chemie	化学	Germanistik	ドイツ学
Geschichte	歴史学	Informatik	情報科学	Japanologie	日本学
Jura	法学	Kunstwissenschaft	芸術学	Literatur	文学
Maschinenbau	機械工学	Medizin	医学	Pädagogik	教育学
Philosophie	哲学	Physik	物理学	Psychologie	心理学
Soziologie	社会学	Technik	工学	Wirtschaftswissenschaften	経済学

言語名：

Chinesisch	中国語	Deutsch	ドイツ語	Englisch	英語
Französisch	フランス語	Italienisch	イタリア語	Japanisch	日本語
Koreanisch	韓国語	Spanisch	スペイン語	Vietnamesisch	ベトナム語

 5. 家族とペットの絵を見ながら、例にならっていろいろたずねてみよう。【Lektion 1,2,3】

A: Ist der Hund klein?　　　　　　　その犬は小さいですか？
B: Nein, der Hund ist nicht klein.　　いいえ、その犬は小さくありません。
A: Ist die Katze nicht klein?　　　　その猫は小さくないのですか？
B: Doch, die Katze ist klein.　　　　いいえ、その猫は小さいです。

klein	小さい	groß	大きい、背が高い	dick	太っている
schmal	ほっそりしている	weiß	白い	schwarz	黒い
langhaarig	長髪の	grauhaarig	白髪の	schwarzhaarig	黒髪の

6. 洋服屋さんでの友人同士の会話です。何を買うかをたずね、それをどう思うか答えてみよう。

【Lektion 4】

A: Was kaufst du hier?　　　　　　　　君はここで何を買いますか？
B: Ich kaufe diesen Rock.　　　　　　　私はこのスカートを買います。
A: Oh, ich finde ihn sehr hübsch!　　　ぼくはそれをとてもかわいいと思うよ！

Anzug 男

Bluse 女

T-Shirt 中

Jacke 女

Dirndl 中

Rock 男

Hemd 中

Pullover 男

Mantel 男

Hose 女

Schuhe 複

Lederhose 女

schön	美しい・きれいな	gut	よい	cool	かっこいい
nicht schlecht	悪くない	elegant	エレガントな	modisch	流行りの
altmodisch	時代遅れの	traditionell	伝統的な	hübsch	かわいい
komisch	滑稽な	auffällig	派手な		

7. 例にならって、パートナーを何かに誘ってみよう。【Lektion 5】

A: Hast du Lust, ins Museum zu gehen?　　君は美術館に行く気があるかい？
B: Ja, gerne. Wann gehen wir?　　　　　　うん、喜んで。いつ行こうか？
A: Hast du morgen Nachmittag Zeit?　　　明日の午後は時間ある？
B: Morgen Nachmittag..., da habe ich leider keine Zeit. Hast du vielleicht übermorgen Zeit?　明日の午後……そこは残念ながら時間がないね。ひょっとしたら明後日は時間ある？
A: Ja, das geht.　　　　　　　　　　　　うん、大丈夫だよ。

ins Kino zu gehen	映画に行く	ins Konzert zu gehen	演奏会に行く
ins Café zu gehen	喫茶店に行く	ins Restaurant zu gehen	レストランに行く
Bier trinken zu gehen	ビールを飲みに行く	zusammen Deutsch zu lernen	一緒にドイツ語を学ぶ
zusammen etwas zu kochen	一緒に何か料理する		
am Freitag	金曜日に	am Wochenende	週末に
heute Nachmittag	今日の午後に	heute Abend	今日の夕方に
vormittags	午前中に	nachmittags	午後に
abends	夕方に	morgen	明日
übermorgen	明後日	nächste Woche	来週

※ 曜日は5ページを参照

8. 時刻の表現を練習してみよう。【Lektion 6】

1) あなたのそれぞれの予定について、時刻をドイツ語で書いてみよう。
（時刻表現については、65 ページの「時刻の言い方」を参照。）

	帰宅時間	就寝時間	起床時間
24 時間制	_____	_____	_____
12 時間制	_____	_____	_____

2) 例にならって、パートナーにいろいろな時刻をたずねてみよう。

A: Wann kommst du heute nach Hause zurück?　　君は今日何時に帰宅するの？
B: Etwa um 8.15 [Viertel nach acht / acht Uhr fünfzehn].　おおよそ 8 時 15 分頃だよ。
A: Ich auch! Wann gehst du normalerweise ins Bett?　私もだよ！普段は何時に寝るの？
B: Um 1.30 [halb zwei].　　1 時 30 分だよ。
A: So spät? Wann stehst du morgens auf?　そんなに遅いの？朝は何時に起きるの？
B: Um 6.00 [sechs].　6 時だよ。
A: So früh!　そんなに早いんだね！

様々な表現：
So früh! そんなに早いの！　　So spät? そんなに遅いの？　　Ich auch! 私もだよ！

9. 例にならって、クラスメイトに長期休暇の予定をたずねてみよう。【Lektion 7】

A: Was willst du in den Ferien machen?　長期休暇中に何をするつもりなの？
　 Ich will ins Kino gehen. Und du?　私は映画に行くつもりなんだ。君は？
B: Ich will Freunde treffen.　私は友人たちと会うつもりだよ。
A: Toll! Viel Spaß!　いいね！楽しんで！

ins Kino / ins Museum / ins Konzert gehen	映画／美術館／演奏会に行く		
Ski fahren	スキーをする	ein Praktikum machen	インターンをする
meine Familie besuchen	私の家族を訪ねる	im Café lernen / arbeiten	カフェで勉強する／働く
reisen	旅行する	schlafen	寝る
Freunde treffen	友人たちと会う	einen Ausflug machen	遠足に行く
Fußball spielen	サッカーをする	an Klub-Aktivitäten teillnehmen	クラブ活動に参加する
Super!	いいね！	Toll! / Klasse!	すごいね！
Wunderbar!	すばらしい！	Cool!	かっこいいね！
Interessant!	興味深いね！	Viel Spaß!	楽しんでね！

10. 例にならって、週末に何をしたかをクラスメイトにたずねてみよう。【Lektion 8】

A: Was hast du am Wochenende gemacht? 　君は週末に何をしたの？
B: Ich habe die ganze Zeit meine Hausaufgaben gemacht. Und du?
　　　　　　　　　　　　　　　　　　ずっと課題をしていたんだ。君は？
A: Ich bin mit meinen Freunden nach *Tokyo Disneyland* gegangen.
　　　　　　　　　　　　　　　　ぼくは友人たちと東京ディズニーランドに行ったんだ。
B: Super! 　　　　　　　　　　　いいね！

eine Party / ein Praktikum / meine Hausaufgaben gemacht (haben)	
パーティー／インターン／私の課題をした	
meine Familie besucht (haben)	私の家族を訪ねた
Fußball / Basketball gespielt (haben)	サッカー／バスケットボールをした
an Klub-Aktivitäten teilgenommen (haben)	クラブ活動に参加した
im Kaufhaus / im Supermarkt eingekauft (haben)	デパート／スーパーで買い物をした
im Café gelernt / gearbeitet (haben)	カフェで勉強した／働いた
in der Bibliothek gelernt (haben)	図書館で勉強した
einen Ausflug gemacht (haben)	遠足に行った
ins Museum / ins Kino / ins Konzert / ins Restaurant / nach *Tokyo Disneyland* gegangen (sein)	
美術館／映画館／演奏会／レストラン／東京ディズニーランドへ行った	
Ski gefahren (sein)　スキーをした	zu Hause geblieben (sein)　家にいた
mit Freunden　友人たちと	alleine　ひとりで
mit meiner Familie　私の家族と	die ganze Zeit　ずっと

ハーナウにあるグリム兄弟像

ゲッティンゲンの「ガチョウ番の娘」像

🎧 107 11. レストランの会話を聴き、後の質問に答えよう。また、どのような料理か調べ、役になりきって会話してみよう。【総合練習】（A：店員 B：トーマス , C：真理子）

A: Guten Abend, wie viele Personen sind Sie?
B: Guten Abend. Wir sind zwei. Haben Sie einen Tisch für zwei Personen?
--
A: Was wünschen Sie?
B: Ich hätte gern (_____).
A: Und was möchten Sie trinken?
B: Ich möchte (_____), bitte.
A: Und Sie? Was möchten Sie?
C: Ich nehme (_____) und
    (_____), bitte.
A: Alles klar.
--
A: Hat es Ihnen geschmeckt?
B: Ja, es war sehr lecker. Zahlen, bitte.
A: Vielen Dank. Zusammen oder getrennt?
B: Zusammen, bitte!
A: Das macht 55,10€.
B: (_____)Euro, bitte.
A: Danke schön, schönen Abend noch!
B,C: Danke.

SPEISEKARTE	
Wurstplatte	18,90 €
Schweinsbraten mit Sauerkraut	18,50 €
Knusprige Schweinshaxe	26,90 €
Eisbein	20,70 €
Rindergulasch	17,50 €
Gefüllte Roulade	23,50 €
Halbe Ente mit Bratkartoffeln	18,60 €
Wiener Schnitzel mit Blumenkohl	
vom Schwein	25,50 €
vom Kalb	28,90 €

GETRÄNKEKARTE	
Bier vom Fass	
Pilsner 0.5L	5,30 €
Weizen 0.5L	5,30 €
Radler 0.5L	5,00 €
Flasche Mineralwasser	
(mit/ohne Kohlensäure)	3,50 €
Apfelsaft 0.33L	3,- €
Apfelschorle 0.33L	2,80 €
Cola 0.33L	5,00 €
Almdudler 0.33L	5,00 €

Fragen:
- Was haben die beiden Personen bestellt?　ふたりは何を注文しましたか？
  — Thomas hat _____ und _____ bestellt.
  — Mariko hat _____ und _____ bestellt.
- Wie viel haben sie bezahlt?　ふたりはいくら支払いましたか？
  — Sie haben 50,00€ / 55,10€ / 60,00€ bezahlt.
- Was möchten Sie bestellen?　あなたは何を注文したいですか？
  — Ich hätte gern _____.

> 表現のポイント
> Ich hätte gern... :～をいただきたいのですが
> Ich möchte... 　　:～が欲しいです　　Ich nehme... :～を注文する
> bitte 　　　　　　:お願いします
> その他の表現　　　:Prost!　Zum Wohl!　乾杯　　Guten Appetit!　いただきます
> 　　　　　　　　　:Stimmt so.　これで合っています（お釣りは要りません）。

補　足

外来語の発音

ドイツ語のなかの外来語は、古いギリシャ語、ラテン語に由来するものが多く、これらは英語とも共通ですから、つづりと発音に慣れれば、ドイツ語の語彙が飛躍的に増えることになります。
外来語のドイツ語と英語の関係は、例えば次のようになっています。

ドイツ語			英　語
real	〔レア**ー**ル〕	現実的な	*real*
Realisation	〔レアリザツィ**オー**ン〕	現実化	*realization*
realisierbar	〔レアリ**ズィー**アバール〕	実現可能な	*realizable*
realisieren	〔レアリ**ズィー**レン〕	現実化する	*realise, realize*
Realismus	〔レア**リ**スムス〕	現実主義	*realism*
Realist	〔レア**リ**スト〕	現実主義者	*realist*
realistisch	〔レア**リ**スティシュ〕	現実的（な、に）	*realistic, realistically*
Realität	〔レアリ**テー**ト〕	現実性	*reality*

- 英語の -tion はドイツ語でも同じつづりで -tion です。ただし発音は〔ツィ**オー**ン〕です。
  - 例： Information, Kommunikation, Nation
- 英語の -ism はドイツ語では -ismus です。アクセントは常に i の上です。
  - 例： Idealismus, Individualismus
- 英語の -ist はドイツ語でも -ist です。アクセントはやはり i の上です（-ent も同様）。
  - 例： Idealist, Individualist; Student, Präsident
- 英語の -ty はドイツ語ではだいたい -tät です。アクセントは ä の上です。
  - 例： Fakultät, Kapazität, Qualität, Universität

また、-ieren で終わる外来語の動詞もたくさんあります。アクセントは ie の上です。
  例： fotografieren, ignorieren, kooperieren, reparieren, reservieren

ギリシャ語、ラテン語から入ってきた外来語のつづりで特徴的なものとして ph, rh, th, x があります。
  例： Rhythmus〔**リュ**トムス〕　Philosophie〔フィロソ**フィー**〕　Thema〔**テー**マ〕
  　　Text〔**テ**クスト〕　Examen〔エク**サー**メン〕

さらに、フランス語、英語からは次のようなことばがドイツ語になっています。
  例： Café〔カ**フェー**〕　Ingenieur〔インジェニ**エー**ア〕　Restaurant〔レスト**ラー**ン〕
  　　Handy〔**ヘ**ンディ〕　Job〔**ジョ**ブ〕　Jogging〔**ジョ**ギング〕

（ちなみに日本語からは： Bonsai, Futon, Haiku, Ikebana, Judo, Karaoke, Karate, Kendo, Manga, Miso, Sake, Samurai, Sashimi, Sushi, Tofu 等々があります。）

Lektion 1
1. 不定詞句

ドイツ語の不定詞句では、英語と異なり、つねに不定詞が一番あとにおかれます。

 Deutsch lernen   ㊕ *learn German*
 Klavier spielen   ㊕ *play piano*
 nach Hause gehen   ㊕ *go home*

辞書でも、動詞の用例がセンテンスではなく、不定詞句で挙げられている場合は、このような表記になっています。

では、不定詞句における不定詞以外の文成分（目的語や副詞など）の語順はどうかと言えば、基本的に、不定詞と意味的に一番関連の強いものがその直前におかれます。たとえば、lernen という動詞なら、何を「学ぶ」かが、そして gehen ならどこへ「行く」かが当然一番関連が強く、不定詞の直前にきます。したがってその他の文成分はさらにその前におかれる格好になります。

「今日、恵美子とドイツ語を勉強する」を不定詞句で表現すると:
 heute mit Emiko Deutsch lernen

「明日おそく家に帰る」を不定詞句で表現するとこうなります。
 morgen spät nach Hause gehen

そして主語が定まりセンテンスになると、不定詞が定動詞として文中の第二番目移りますから、つぎのような文ができることになります。
 Ich lerne heute mit Emiko Deutsch. ぼくは今日恵美子とドイツ語を勉強する。
 Er geht morgen spät nach Hause. 彼は明日はおそく家に帰る

つまりドイツ語のセンテンスでは、定動詞と意味的関連の強い文成分が文末におかれるという形になります。これがドイツ語文の基本です。ただし、すでに「語順」のところでも触れたように、ドイツ語の平叙文はＳ＋Ｖの語順になる必要はありません。

Lektion 2
1. 男性名詞、中性名詞の 2 格

-s, -es のどちらでもよい場合が多いですが、次のような名詞ははっきり決まっています。
 ① -s をつける名詞
  -em, -en, -el, -er, で終る名詞:
   des Onkels 叔父さんの des Vaters 父の

 ② -es をつける名詞
  -s, -ß, -x, -tsch, -t,-z で終る名詞:
   des Hauses 家の des Arztes 医者の

2. 男性弱変化名詞

男性名詞のなかに、単数 1 格以外のすべての格で弱語尾の -(e)n がつくものがあります。これが男性弱変化名詞です。格変化は次のとおりです。

	単数	複数	単数	複数
1 格	der Student　大学生	die Studenten	der Affe　猿	die Affen
2 格	des Studenten	der Studenten	des Affen	der Affen
3 格	dem Studenten	den Studenten	dem Affen	den Affen
4 格	den Studenten	die Studenten	den Affen	die Affen

この男性弱変化に属する名詞は大別すると：
① -e で終る、人や動物を表わす男性名詞
　　Junge 少年　Kollege 同僚　Löwe ライオン　Falke 鷹
② -ent、-ist 等で終わる外来語系の男性名詞
　　Präsident 大統領　Patient 患者　Polizist 警察官　Pianist ピアニスト　Philosoph 哲学者
③ その他
　　Mensch 人間　Automat 自動販売機

3. 疑問代名詞の wer

wer にも 2 格 (wessen)、3 格 (wem)、4 格 (wen) があります。

Wer ist der Mann dort?	そこにいる方はどなたですか？
Wessen Auto ist das?	それはだれの車ですか？
Wem schenken Sie die Blumen?	あなたはその花をだれにプレゼントするのですか？
Wen suchst du?	君はだれを探しているの？

Lektion 3
1. 名詞の性と複数形

名詞にはつづり（接尾辞など）から性がはっきりわかるものがあります。
こうした名詞の場合、複数形 (Lektion 3) の形も決まっています。

	単数	複数
男性	① -er（人や道具を表わす名詞） 　　Lehrer 教師、Japaner 日本人 　　Fernseher テレビ ② -ling 　　Sonderling 変人、Säugling 乳児 ③ -ent, -ist（男性弱変化名詞） 　　Student 大学生、Polizist 警察官 ④ -ismus（英語の -ism に当たる名詞） 　　Kapitalismus 資本主義	① 同尾式（単複同形） ② -e 式 ③ -en 式 ④ -ismen

女性	① -in 　　Lehrerin, Japanerin ② -ei, -heit, -keit, -schaft, -ung 　　Bäckerei パン屋、Krankheit 病気 　　Möglichkeit 可能性、Wissenschaft 学問 　　Zeitung 新聞 ③ -ion, -tät 　　Information 情報、Universität 大学	① -en 式だが n を補う 　　Japanerinnen ② -en 式 ③ -en 式
中性	① -chen, -lein（小さいもの、かわいらしいものを表わす接尾辞） 　　Brötchen 小さなパン、Büchlein 小さな本 　　Mädchen 娘	① 単複同形

Lektion 5

1. 2格支配の前置詞

statt 〜の代わりに	trotz 〜にもかかわらず
während 〜のあいだ	wegen 〜のために

Statt seines Vaters kommt heute sein Bruder.
　　彼の父の代わりに、彼の兄が今日やってくる。

Trotz des Regens geht er mit seinem Hund spazieren.
　　雨にもかかわらず、彼は犬を連れて散歩をする。

Während der Sommerferien bleiben wir in Wien.
　　夏休みのあいだ、われわれはウィーンに滞在する。

Wegen der Krankheit geht er heute nicht zur Uni.
　　病気のために、彼は今日大学へ行かない。

2. zu 不定詞の特殊な用法

1) zu 不定詞（句）の前に um, ohne, [an]statt が付くもの
   a) um...zu 不定詞「…するために」
      Sie fährt nach Wien, **um** dort Musik **zu** studieren.
      　　彼女は音楽を勉強するためにウィーンへ行く。
   b) ohne...zu 不定詞「…することなしに」
      Er geht aus dem Zimmer, **ohne** ein Wort **zu** sagen.
      　　彼は一言も言わずに部屋から出ていく。
   c) [an]statt...zu 不定詞「…するかわりに」
      Er jobbt jeden Tag, **statt** zur Uni **zu** gehen.
      　　彼は大学へ行くかわりに、毎日アルバイトをしている。

2) sein ＋ zu 不定詞「…されなければならない、…されうる」

Das Problem ist schnell zu lösen.
その問題はすみやかに解決されねばならない。

Das Problem ist leicht zu lösen.
その問題は容易に解決される。

3) haben ＋ zu 不定詞「…しなければならない」(英 have to)

Ich habe noch zu arbeiten.　私はまだ仕事をしなければならない。

Lektion 6

1. 時刻の言い方

Wie spät ist es jetzt?　いま何時ですか？
Wie viel Uhr ist es jetzt?

Es ist ein Uhr.　1 時です。
Es ist eins.

	24 時間制	12 時間制
19.00	neunzehn Uhr	sieben [Uhr]
19.05	neunzehn Uhr fünf	fünf nach sieben
19.15	neunzehn Uhr fünfzehn	Viertel nach sieben
19.30	neunzehn Uhr dreißig	halb acht
19.45	neunzehn Uhr fünfundvierzig	Viertel vor acht
19.55	neunzehn Uhr fünfundfünfzig	fünf vor acht

列車の時刻などは 24 時間制を用います。

19.56　neunzehn Uhr sechsundfünfzig

なお、「…時に」と正確な時刻を表わすときは前置詞 um、「…時ごろ」を表わす場合は前置詞 gegen を用います。

2. 年号の言い方（1099 年までは基数の読み方と同じです）

1835　achtzehnhundertfünfunddreißig
1974　neunzehnhundertvierundsiebzig
2014　zweitausendvierzehn

Im Jahr 2028 finden in Los Angeles die olympischen Spiele statt.
2028 年にロサンゼルスでオリンピックが開催される。

Lektion 7

1. 不定詞を伴わない助動詞の用法

1) 助動詞の他動詞的用法（助動詞は元々は他動詞）
   Ich kann kein Italienisch.　　私はイタリア語ができない。
   Was willst du von mir?　　君は私にどうしろというのだ？
   Sie mag ihn nicht.　　彼女は彼が好きではない。

2) 不定詞の省略（方向を表わす語句がある場合）
   Ich muss jetzt nach Hause.　　私はもう帰宅しなければならない。

2. 使役動詞 lassen（英 *let*）と知覚動詞（sehen, hören など）の用法

Sie lässt mich immer warten.　　彼女はいつも私を待たせる。
Ich sehe ihn kommen.　　彼がやってくるのが見える。
（この mich, ihn が 4 格であることに注意）

3. 不定詞を伴う gehen（…をしに行く）の用法

Sie geht heute einkaufen.　　彼女は今日買い物に行く。
Ich gehe jetzt essen.　　私はいまから食事に行く。

4. 命令法

命令は、2 人称 du, ihr, Sie（あなた、あなたがた）に対してなされますが、その命令形は次のとおりです。

不定詞 -en		du に対して -[e]!	ihr に対して -t!	Sie に対して -en Sie!
kommen	来る	Komm[e]!	Kommt!	Kommen Sie!
fahren	行く	Fahr[e]!	Fahrt!	Fahren Sie!
antworten	答える	Antworte	Antwortet!	Antworten Sie!

① Sie に対する命令形は、直接法の平叙文の語順（主語＋動詞）を逆転させるだけです。
   Sie fahren mit dem Zug nach Kamakura.　　あなた（がた）は列車で鎌倉へ行く。
   Fahren Sie mit dem Zug nach Kamakura!　　列車で鎌倉へいらっしゃい！

② ihr に対する命令形は、直接法の現在人称変化形と同じです。主語の ihr は使いません。
   Fahrt mit dem Zug nach Kamakura!　　列車で鎌倉へ行きなさい！

③ du に対する命令形は、日常語では語幹のまま使います。e をつけるとやや重い（文語的な）感じになります。

 Fahr mit dem Zug nach Kamakura! 列車で鎌倉へ行きなさい！

ただ、現在人称変化でも e がついた動詞（arbeiten, finden など）は、かならず -e! となります。

 Antworte auf meine Frage! 私の質問に答えなさい！
 Arbeite fleißig! まじめに働きなさい！

du に対する命令形でもう一つ、注意すべき動詞は、Lektion 3 で習ったもので、幹母音の e が i / ie に変る動詞です。こうした動詞は命令形でも e を i / ie に変え、語尾に e はつけません。

 Sprich lauter! もっと大きな声で話しなさい！
 Gib mir Taschengeld! おこづかいちょうだい！
 Nimm Platz! 座りなさい！

④ sein の命令形も不規則です。

不定詞	du に対して	ihr に対して	Sie に対して
sein	Sei!	Seid!	Seien Sie!

 Sei brav! 行儀よくしなさい！
 Seid endlich ruhig! いい加減静かにしなさい！

Lektion 9

1.　受動文の過去、現在完了

受動文の過去は、助動詞 werden の過去形を、主語に合わせて人称変化させて使うだけです。
Die Villa... の文は従って次のようになります。

 Die Villa wurde von dem Vater verkauft.

受動文の現在完了は完了の助動詞が使われますが、werden が sein 支配ですから、その現在形を用います。ただこの現在完了で注意しなければならないのは、werden の過去分詞で、これはつねに worden（普通の動詞としての werden の過去分詞は geworden です）を用いることです。
Die Villa... の文はこうなります。

 Die Villa ist von dem Vater verkauft worden.

Lektion 11

1. 形容詞の名詞化

形容詞は語頭を大文字で書き、付加語的用法の場合と同じ語尾をつければ、名詞になります。男性、女性、複数は〈人〉を表わし、中性は〈物・事〉を表わします。

	男性 （そのドイツ人）	女性 （そのドイツ人）	複数 （そのドイツ人たち）
1格	der Deutsche	die Deutsche	die Deutschen
2格	des Deutschen	der Deutschen	der Deutschen
3格	dem Deutschen	der Deutschen	den Deutschen
4格	den Deutschen	die Deutsche	die Deutschen

	男性 （あるドイツ人）	女性 （あるドイツ人）	複数 （ドイツ人たち）
1格	ein Deutscher	eine Deutsche	Deutsche
2格	eines Deutschen	einer Deutschen	Deutscher
3格	einem Deutschen	einer Deutschen	Deutschen
4格	einen Deutschen	eine Deutsche	Deutsche

	中性 （善）	中性 （something good）	中性 （nothing good）
1格	das Gute	etwas Gutes	nichts Gutes
2格	des Guten	――	――
3格	dem Guten	etwas Gutem	nichts Gutem
4格	das Gute	etwas Gutes	nichts Gutes

Der Alte ist sein Großvater. その老人は彼のお祖父さんだ。
Er spricht jetzt mit einer Deutschen. 彼はいまあるドイツ人（女性）と話している。
Steht in der Zeitung etwas Interessantes? 新聞に何か興味深いことが出ていますか？

2. 序数

1）基本的には19までは基数に -t を、20以上は -st をつけます。数字で表わす場合は、数字のあとに Punkt (.) を打ちます。

1. erst	7. sieb[en]t	13. dreizehn	101. hunderterst
2. zweit	8. acht	19. neunzehn	385. dreihundertfünfundachtzigst
3. dritt	9. neunt	20. zwanzigst	1000. tausendst
4. viert	10. zehnt	21. einundzwanzigst	
5. fünft	11. elft	30. dreißigst	
6. sechst	12. zwölft	100. hundertst	

2) 序数の使い方
序数は形容詞の付加語的用法と同様に、格語尾をつけて使われます。
   die erste Liebe 初恋   der dritte Mann 第三の男

   Heute habe ich meinen 20.（zwanzigsten）Geburtstag.   今日は私の二十歳の誕生日です。
   Am 28.（achtundzwanzigsten）März fährt er nach Amerika ab.
   　3月28日に彼はアメリカへ向けて出発する。

3. 現在分詞、過去分詞

1) 現在分詞は不定詞＋d で表わします。「…しつつある」の意味合いで使います。
   schlafen → schlafend　　眠っている
   singen → singend　　歌っている
   reisen → reisend　　旅行をしている

過去分詞の形ははすでに 3 基本形のところで習いました。他動詞の過去分詞は「…された」、自動詞の過去分詞は「…した」という意味で使われます。
   他　fangen → gefangen　　捕えられた
   自　ankommen → angekommen　　到着した

2) 分詞の用法
   ① 付加語的用法（普通の形容詞と同じ格語尾をとります）
      eine schlafende Katze　　　　　　　　眠っている猫
      das spielende Kind　　　　　　　　　遊んでいる子供
      die angekommenen Gäste　　　　　　　到着した客
      die eben im Hotel angekommenen Gäste　　いましがたホテルに到着した客
      （分詞は当然、動詞の機能を保持していますから、副詞、前置詞句、目的語などを伴うこともあります。これは冠飾句と言われるものです。）
   ② 副詞的用法
      Das Kind spielt singend.　　その子は歌いながら遊んでいる。
   ③ 分詞も①のように形容詞として使われますから、名詞化もされます。
      der Reisende　　その（男性）旅行者
      die Gefangenen　　その捕虜たち

Lektion 12

1. 接続法第1式、第2式の人称変化

1) 第1式

基本形は不定詞の語幹に -e を付けます。人称変化語尾は直接法過去と同じです。

		規則動詞	不規則動詞				
不定詞		lernen	kommen	haben	werden	können	sein
ich	—e	lerne	komme	habe	werde	könne	sei
du	—st	lernest	kommest	habest	werdest	könnest	sei[e]st
er	—e	lerne	komme	habe	werde	könne	sei
wir	—en	lernen	kommen	haben	werden	können	seien
ihr	—et	lernet	kommet	habet	werdet	könnet	seiet
sie/Sie	—en	lernen	kommen	haben	werden	können	seien

2) 第2式

規則動詞の人称変化形は直接法過去と全く同じです。不規則動詞の場合は、過去基本形が -e で終っていないものには -e を付け、幹母音はウムラウトさせます。

		規則動詞	不規則動詞				
不定詞		lernen	kommen	haben	werden	können	sein
過去基本形		lernte	kam	hatte	wurde	konnte	war
ich	—(e)	lernte	käme	hätte	würde	könnte	wäre
du	—(e)st	lerntest	kämest	hättest	würdest	könntest	wärest
er	—(e)	lernte	käme	hätte	würde	könnte	wäre
wir	—en	lernten	kämen	hätten	würden	könnten	wären
ihr	—(e)st	lerntet	kämet	hättet	würdet	könntet	wäret
sie/Sie	—en	lernten	kämen	hätten	würden	könnten	wären

単 語 集

A

Abend, -e	男 夕方、晩	
aber	しかし	
ab|fahren	（乗り物で）出発する	
acht	8	
achten	注意する	
Affe, -n	男 猿	
aller	すべての	
als	～として、～の時に	
also	それでは	
alt	古い、年をとった	
am	an dem	
an	～のきわで/へ	
an|fangen	始める、始まる	
Anfänger, -	男 初心者（男）	
Anfängerin, -nen	女 初心者（女）	
Anime, -s	男 アニメ	
an|kommen	到着する	
an|rufen	電話をかける	
ans	an das	
antworten	答える	
Anzug, Anzüge	男 スーツ	
Apfel, Äpfel	男 リンゴ	
April	男 4月	
arbeiten	働く、勉強する	
Artikel, -	男 記事	
Arzt, Ärzte	男 医者（男）	
Ärztin, -nen	女 医者（女）	
aß	essen の過去基本形	
auch	（も）また	
auf	～の上で/へ	
aufführung, -en	女 上演、演奏	
auf|geben	断念する	
auf|stehen	起きる	
August	男 8月	
Aula, Aulen	女 講堂、ホール	
aus	～の中から	
aus|gehen	外出する	
Ausfahrt, -en	女 ドライブ	
Ausflug, Ausflüge	男 ハイキング	
Ausland, Ausländer	中 外国	
Auto, -s	中 自動車	
Automat, -en	男 自動販売機	

B

backen	（パンなどを）焼く
Bäckerei, -en	女 パン屋
Bahnhof, Bahnhöfe	男 駅
Ball, Bälle	男 ボール
Basketball	男 バスケットボール
bauen	建てる、制作する
Bayern	バイエルン（ドイツの州）
Becher, -	男 マグカップ、コップ
beeilen	再 急ぐ
begreifen	理解する
behaupten	主張する
bei	～のところで、～の際に
beim	bei dem

bekommen	もらう、手に入れる
bemerken	気づく
bereit	用意の出来た
Berg, -e	男 山
berichten	報告する
berühmt	有名な
besichtigen	見物する
besonders	特に
besprechen	論議する
besser	gut の比較級
best	gut の最上級
bestellen	注文する
besuchen	訪問する
betreffs	～に関して
Betrüger, -	男 詐欺師（男）
Betrügerin, -nen	女 詐欺師（女）
Bett, -en	中 ベッド
bezahlen	代金を支払う
Bibel, -n	中 聖書
Bibliothek, -en	女 図書館
Bier	中 ビール
Bild, -er	中 絵、写真
bin	sein の現在人称変化
Biochemie	女 生化学
Biologie	女 生物学
bis	～まで
bisschen	少しの
bist	sein の現在人称変化
bitte	どうぞ、どうか
blau	青い
bleiben	とどまる、滞在する
blitzen	稲光がする
blond	金髪の
Blume, -n	女 花
Bluse, -n	女 ブラウス
BMW	男 BMW（ドイツの自動車）
Boot, -e	中 ボート
brach	brechen の過去基本形
brauchen	～を必要とする
braun	茶色の
brav	行儀のよい、おとなしい
brechen	折る、壊す
Brief, -e	男 手紙
Brille, -	女 眼鏡
Brötchen, -	中 プレートヒェン（小型の丸パン）
Bruder, Brüder	男 兄弟
Buch, Bücher	中 本
Bücherregal, -e	中 本棚
Büchlein, -	中 小型の本
bummeln	ぶらつく
Bundeskanzler, -	男 （ドイツ）連邦首相（男）
Bundeskanzlerin, -nen	女 （ドイツ）連邦首相（女）
Bus, Busse	男 バス
Bushaltestelle, -n	女 バス停
Butter	女 バター

C

Café, -s	中 カフェ

Cappuccino	男 カプチーノ	E	
Chemie	女 化学	ein	不定冠詞（Lektion 2）
Chinesisch	中 中国語	einem	不定冠詞（Lektion 2）
Computer, -	男 コンピューター	eines	不定冠詞（Lektion 2）
Computerspiel, -e	中 コンピューターゲーム	ein|kaufen	買い物をする
cool	かっこいい	einmal	一度、かつて
		eins	1
D		Elektronik	女 電子工学
da	そこに	Eltern	複 両親
damals	当時	E-Mail, -s	女 Eメール
damit	それでもって	empfehlen	勧める
danach	そのあとで	Ende, -n	中 終わり
danken	～に感謝する	England	中 イギリス
dann	それから	Englisch	中 英語
das	それ、定冠詞（Lektion 2）、指示代名詞、定関係代名詞（Lektion 10）	Entkoffeinierter Kaffee	男 カフェインレスコーヒー
		er	人称代名詞（Lektion 4）
dass	～ということ	Erfolg, -e	男 成功
davon	そこから、それについて	erinnern	再 思い出す、覚えている
dein	所有冠詞（Lektion 4）	es	人称代名詞（Lektion 4）
dem	定冠詞（Lektion 2）、指示代名詞、定関係代名詞（Lektion 10）	essen	食べる
		Essen, -	中 食事
den	定冠詞（Lektion 2）、指示代名詞、定関係代名詞（Lektion 10）	etwa	およそ
		etwas	あるもの（英 something）
denen	定関係代名詞（Lektion 10）	euch	人称代名詞（Lektion 4）、再帰代名詞（Lektion 9）
denken	考える		
denn	というのは、～だから	euer	所有冠詞（Lektion 4）
dennoch	それにもかかわらず	Euro, -	男 ユーロ
der	定冠詞（Lektion 2）、指示代名詞、定関係代名詞（Lektion 10）	Euro-Krise	女 ユーロ危機
		Europa	中 ヨーロッパ
deren	定関係代名詞（Lektion 10）	Examen, -	中 試験
des	定冠詞（Lektion 2）		
dessen	定関係代名詞（Lektion 10）	F	
deutsch	ドイツの	fahren	（乗り物で）行く、運転する、（乗り物が）走る
Deutsch	中 ドイツ語		
Deutschland	中 ドイツ	Fahrrad, Fahrräder	中 自転車
Dezember	男 12月	Fakultät, -en	女 学部
dich	人称代名詞（Lektion 4）、再帰代名詞（Lektion 9）	Falke, -n	男 タカ
		fallen	落ちる
dick	太った、厚い	Familie, -n	女 家族
die	定冠詞（Lektion 2）、指示代名詞、定関係代名詞（Lektion 10）	fangen	捕らえる
		fast	ほとんど
Dienstag	男 火曜日	Februar	男 2月
dieser	この	Fenster, -	中 窓
diesmal	今回は	Ferien	複 休暇
dir	人称代名詞（Lektion 4）、再帰代名詞（Lektion 9）	Fernseher, -	男 テレビ
		Fieber	中 熱
doch	だが、（否定疑問文に対する返事として）いいえ	finden	見つける、～を～であると思う
		Firma, Firmen	女 会社
donnern	雷が鳴る	fleißig	熱心な
Donnerstag	男 木曜日	fliegen	飛ぶ、（飛行機で）行く
doppelt	二重	fließend	流暢な
dort	あそこに	Flüchtlingspolitik	女 難民政策
drei	3	Flugzeug, Flugzeuge	中 飛行機
Druckfehler, -	男 ミスプリント	Frage, -n	女 質問、問題
du	人称代名詞（Lektion 4）	fragen	質問する
Duett, -e	中 二重奏、デュエット	Frankreich	中 フランス
dumm	おろかな	Französisch	中 フランス語
durch	～を通って	Frau, -en	女 女性
dürfen	してよい	Fräulein, -	中 お嬢さん（未婚の女性に）
Durst	男 喉の渇き	Freiheit, -en	女 自由
Dusche, -n	女 シャワー	Freitag	男 金曜日

Freude, -n	女 喜び	ging	gehen の過去基本形
freuen	再 喜ぶ、楽しみにする	Gitarre, -n	女 ギター
Freund, -e	男 友人（男）	Glas, Gläser	中 グラス
Freundin, -nen	女 友人（女）	gleich	同じ、すぐに
freundlich	親切な、友好的な	gleichfalls	同様に
frieren	寒がる、凍える	Glück	中 幸運
früh	早い	glücklich	幸運な
früher	以前	golden	金の
Frühling	男 春	Gott, Götter	男 神
Frühstück, -e	中 朝食	grau	灰色の
Fuchs, Füchse	男 キツネ	grauhaarig	白髪の
fuhr	fahren の過去基本形	groß	大きい
führen	行う、する	Großmutter, Großmütter	女 祖母
Führerschein, -e	男 運転免許証	Großvater, Großväter	男 祖父
fünf	5	grün	緑の
für	～ために	gucken	見る、のぞく
fürs	für das	gut	よい
Fuß, Füße	男 足		
Fußball, Fußbälle	男 サッカー、サッカーボール		

G

ganz	とても		
Garten, Gärten	男 庭		
Gartenhaus	中 あずま屋、園亭		
Gast, Gäste	男 客		
geben	与える		
geblieben	bleiben の過去分詞		
geboren	生まれた		
gebrochen	brechen の過去分詞		
Geburtshaus	中 生家		
gefahren	fahren の過去分詞		
gefallen	気に入る		
gehören	～のものである		
gegangen	gehen の過去分詞		
gegen	～に対し、～時頃に		
gegessen	essen の過去分詞		
gehabt	haben の過去分詞		
gehen	行く		
geholfen	helfen の過去分詞		
Geige, -n	女 バイオリン		
gekommen	kommen の過去分詞		
Geld, Gelder	中 お金		
gelesen	lesen の過去分詞		
genommen	nehmen の過去分詞		
gerade	今、ちょうど		
Germanistik	女 ドイツ学		
gern	喜んで、好んで		
Geschichte, -n	女 歴史学		
geschlafen	schlafen の過去分詞		
geschrieben	schreiben の過去分詞		
gespannt	わくわくしている		
gestanden	stehen の過去分詞		
gestern	昨日		
gestrig	昨日の		
gesund	健康な		
Gesundheit	女 健康		
gesundheitlich	健康上の		
Getränk, -e	中 飲み物		
getrennt	別々の		
getrunken	trinken の過去分詞		
gewesen	sein の過去分詞		

H

Haar, -e	中 髪
haben	持っている、完了の助動詞
halb	半分の
half	helfen の過去基本形
halten	保つ、持っている
Hand, Hände	女 手
handeln	取り扱う、（es handelt sich um の形で）～が問題である
Handy, -s	中 携帯電話
hängen	掛ける、掛かっている
hast	haben の現在人称変化
hat	haben の現在人称変化
hatte	haben の過去基本形
Haus, Häuser	中 家
Hausaufgabe, -n	女 宿題
Heft, -e	中 ノート
Heimatstadt	中 故郷の町
heiß	熱い、暑い
heißen	～という名である
heiter	快活な、明るい
helfen	助ける、手伝う
Hemd, -en	中 シャツ
Herbst	男 秋
Herr, -en	男 紳士、（男性への呼びかけ）～さん
herzlich	心からの
heute	今日
hier	ここに
Hier-Essen	中 イートイン
hinter	～の後ろ
hinzu|fügen	付け加える
Historie, -n	女 歴史、歴史学
hoch	高い
hoffen	望む
hoffentlich	望むらくは
Honig	男 はちみつ
hören	聞く
Hotel, -s	中 ホテル
Hotelführer, -	男 ホテル案内
Hund, -e	男 犬
hundert	100
Hunger	男 空腹
Hut, Hüte	男 帽子

Hütte, -n	囡 小屋	Kalender, -	男 カレンダー
		kalt	寒い、冷たい
I		Kälte	囡 寒さ、冷たさ
ich	人称代名詞（Lektion 4）	kam	kommen の過去基本形
Idealismus, -Idealismen	男 理想主義	Kapazität, -en	囡 容量
Idealist, -en	男 理想主義者（男）	Kapitalismus	男 資本主義
Idealistin, -nen	囡 理想主義者（女）	Karte, -n	囡 カード
Idee, -n	囡 アイデア	Katze, -n	囡 猫
ihm	人称代名詞（Lektion 4）	kaufen	買う
ihn	人称代名詞（Lektion 4）	Kaufhaus,-häuser	中 デパート
ihnen	人称代名詞（Lektion 4）	kein	否定冠詞（Lektion 2）〜ない
Ihnen	人称代名詞（Lektion 4）	kennen	知っている
ihr	人称代名詞（Lektion 4）、所有冠詞（Lektion 4）	kicken	キックする
		Kind, -er	中 子ども
Ihr	所有冠詞（Lektion 4）	Kino, -s	中 映画館
im	in dem	Kirche, -n	囡 教会
immer	いつも	klar	はっきりした
in	〜の中	Klasse, -n	囡 クラス
Individualismus, -Individualismen	男 個人主義	klassisch	古典的な
Individualist, -en	男 個人主義者（男）	Klavier, -e	中 ピアノ
Individualistin, -nen	囡 個人主義者（女）	Klavierkonzert, -e	中 ピアノ協奏曲
Information, -en	囡 情報	Klavierstück, Klavierstücke	中 ピアノ曲
informieren	情報を知らせる	klein	小さい
Informatik	囡 情報科学	Klub-Aktivität,-en	囡 クラブ活動
Ingenieur, -e	男 技師（男）	klug	かしこい
Ingenieurin, -nen	囡 技師（女）	Kneipe, -n	囡 飲み屋
Innenpolitik, -en	囡 国内政治	kochen	料理する
ins	in das	Kochen	中 料理
interessant	興味深い	Koffer, -	男 トランク
interessieren	再 興味を持つ	Kollege, -n	男 同僚（男）
ist	sein の現在人称変化	Kollegin, -nen	囡 同僚（女）
Italien	中 イタリア	kommen	来る
italienisch	イタリアの	Kommunikation, -en	囡 コミュニケーション
Italienisch	中 イタリア語	können	できる
		Konzert, -e	中 コンサート
J		kopmonieren	作曲する
ja	はい	Koreanisch	中 韓国語
Jacke, -n	囡 ジャケット	korrekt	正しい、正確な
Jahr, -e	中 年	kosten	〜の値段である
Januar	男 1月	krank	病気の
Japan	中 日本	Krankenhaus, Krankenhäuser	中 病院
Japaner, -	男 日本人（男）	Krankheit, -en	囡 病気
Japanerin, -nen	囡 日本人（女）	Krawatte, -n	囡 ネクタイ
Japanisch	中 日本語	Kreditkarte,-n	囡 クレジットカード
Japanologie	囡 日本学	Kugelschreiber, -	男 ボールペン
jedenfalls	いずれにせよ	Kuh, Kühe	囡 雌牛
jeder	各々の	Kultur, -en	囡 文化
jetzt	今	Kunstwissenschaft	囡 芸術学
Job, -s	男 アルバイト	kurz	短い
jobben	アルバイトする		
joggen	ジョギングする	**L**	
Jogging	中 ジョギング	Laden, Läden	男 店
Juli	男 7月	lang	長い
jung	若い	langhaarig	長髪の
Junge, -n	男 男の子	langsam	遅い、ゆっくりとした
Juni	男 6月	lassen	させる
Jura	複 法学	lässt	lassen の現在人称変化
		lauter	laut（大きな声で）の比較級
K		leben	生きている、暮らす
Kabinett, -e	中 内閣	lecker	おいしい
Kaffee	男 コーヒー	Leder, -	中 革

74

Lehrer, -	男 教師（男）	Museum, Museen	中 博物館、美術館
Lehrerin, -nen	女 教師（女）	Musik	女 音楽
leicht	軽い、簡単な	Musikstück, Musikstücke	中 楽曲
leider	残念ながら	müssen	ねばならない
lernen	学ぶ	Mutter, Mütter	女 母
lesen	読む		
letzt	最後の、最近の	**N**	
Leute	複 人々	nach	〜へ、〜の後で
Liebe, -n	女 愛	Nachbar, -n	男 隣人（男）
lieben	愛する	Nachbarin, -nen	女 隣人（女）
liebsten	am liebsten の形で、gern の最上級	Nachmittag,-e	男 午後
liegen	横になっている、ある	nächst	次の、最も近い
Literatur,-en	女 文学	Nacht, Nächte	女 夜
loben	ほめる	Nähe	女 近く、近所
lösen	解決する	nahm	nehmen の過去基本形
Löwe, -n	男 ライオン	Name, -n	男 名前
Lust, Lüste	女 気持ち、欲求	nämlich	つまり
		Nation, -en	女 国家、国民
M		natürlich	もちろん
machen	作る、〜する	neben	〜の横
Mädchen, -	中 女の子	nehmen	とる
Mai	男 5月	nein	いいえ
Mal, -e	中 回	nett	親切な、感じのよい
man	（一般の）人、人々は	neu	新しい
mancher	いくつかの	neun	9
Manga, -s	中（男）マンガ	nicht	〜ない
Mann, Männer	男 男性	nichts	何も〜ない
Mantel, Mäntel	男 コート	Niederlande	複 オランダ
März	男 3月	Nobelpreis, -e	男 ノーベル賞
Maschinenbau	男 機械工学	noch	まだ
Medizin	女 医学	Nord	男 北
mehr	viel の比較級、より多くの	Norddeutschland	中 北ドイツ
mein	所有冠詞（Lektion 4）	normalerweise	通常は
Meinung, -en	女 意見	November	男 11月
meist	viel の最上級、最も多くの	Nr.	Nummer の略
Mensa, -s	女 学生食堂	null	0
Mensch, -en	男 人間	Nummer	女 ナンバー、番（号）
mich	人称代名詞（Lektion 4）、再帰代名詞（Lektion 9）	nur	ただ〜だけ
mieten	借りる	**O**	
Milch	女 牛乳	ob	〜かどうか
Million, -en	女 100万	obwohl	〜にもかかわらず
Millionär	男 百万長者（男）	oder	または
Millionärin	女 百万長者（女）	öffnen	開ける、開く
Mineralwasser	中 ミネラルウォーター	oft	しばしば
mir	人称代名詞（Lektion 4）、再帰代名詞（Lektion 9）	ohne	〜なしに
mit	〜と一緒に、〜で（を使って）	Oktober	男 10月
Mitnehmen	中 持ち帰り、テイクアウト	Öl	中 オイル
Mittwoch	男 水曜日	olympische Spiele	複 オリンピック
möchte	〜したい	Onkel, -	男 おじ
mögen	かもしれない	Oper, -n	女 オペラ
möglich	可能な	operieren	手術する
Möglichkeit, -en	女 可能性	Ost	男 東
Moment, -e	男 瞬間	Österreich	中 オーストリア
momentan	目下のところ		
Monat, -e	男 月	**P**	
Montag	男 月曜日	Pädagogik	女 教育学
morgen	明日	Park, -s	男 公園
Morgen, -	男 朝	parken	駐車する
müde	疲れている	Party, -s	女 パーティ
		Patient, -en	男 患者（男）

Patientin, -nen	女 患者（女）	Reiseführer, -	男 旅行案内書
Pause, -n	女 休憩	reisen	旅行する
PC, -	男 パソコン	rennen	走る
Person, -en	女 人	reparieren	修理する
Persönlichkeit, -en	女 人格、個性	Reporter, -	男 リポーター（男）
Philosoph, -e	男 哲学者（男）	Reporterin, -nen	女 リポーター（女）
Philosophie, -n	女 哲学	reservieren	予約する
Philosophin, -nen	女 哲学者（女）	Restaurant, -s	中 レストラン
Physik	女 物理学（女）	Rhein	男 ライン川
Pianist, -en	男 ピアニスト（男）	Rhythmus, Rhythmen	男 リズム
Pianistin, -nen	女 ピアニスト（女）	richtig	正しい
Pizza, -s (Pizzen)	女 ピザ	Ring, -e	男 指輪
Plan, Pläne	男 計画	Roboter, -	男 ロボット
planen	計画している	Robotik	女 ロボット工学
Platz, Plätze	男 広場、場所、席	Rock, Röcke	男 スカート
Polen	中 ポーランド	Roman, -e	男 長編小説
Politik, -en	女 政治	rot	赤い
Polizist, -en	男 警官（男）	ruhig	静かな
Polizistin, -nen	女 警官（女）		
Polohemd, -en	中 ポロシャツ	**S**	
populär	人気のある	sagen	言う
praktisch	実用的な、便利な	Samstag	男 土曜日
Praktikum, Praktika/Praktiken	中 （企業での）実習	Sandburg, -n	女 砂の城
Präsident, -en	男 大統領（男）	Satz, Sätze	男 文
Präsidentin, -nen	女 大統領（女）	Säugling, -e	男 乳児
preiswert	お買い得な	Schale, -n	女 シャーレ、（果実の）皮
prekär	厄介な、困難な	Schaufenster, -	中 ショーウィンドー
Premierminister, -	男 首相（男）	scheinen	〜のように見える、輝く
Premierministerin, -nen	女 首相（女）	schenken	贈る
Pressekonferenz, -en	女 記者会見	scherzhaft	冗談めかして
Privatwagen	男 自家用車	schick	シックな
Problem, -e	中 問題	schlafen	眠る
Professor, -	男 教授（男）	schläft	schlafen の現在人称変化
Professorin, -nen	女 教授（女）	schlecht	悪い
Prüfung, -en	女 試験	schlief	schlafen の過去基本形
Psychologie	女 心理学	schließen	閉める、閉まる
Pullover, -	男 プルオーバー、セーター	Schloss Neuschwanstein	中 ノイシュバンシュタイン城
pünktlich	時間どおりの	Schloss, Schlösser	中 城
Puppe, -n	女 人形	Schlüssel, -	男 鍵
		schmal	ほっそりした
Q		schmecken	〜な味がする
Qualität, -en	女 質	schneien	雪が降る
Quatsch	男 くだらないこと	schnell	速い
		Schnitzel, -	中 カツレツ
R		schon	すでに
Rathaus, Rathäuser	中 市庁舎、市役所	schön	美しい、素晴らしい
rauchen	喫煙する	schreiben	書く
real	現実の	schrieb	schreiben の過去基本形
Realisation, -en	女 実現、現実化	Schuh, -e	男 靴
realisierbar	実現可能な	Schule, -n	女 学校
realisieren	実現する、現実化する	Schüler, -	男 生徒（男）
Realismus	男 現実主義	Schülerin, -nen	女 生徒（女）
Realist, -	男 現実主義者（男）	schwarz	黒
Realistin, -nen	女 現実主義者（女）	Schwarzwald	男 黒い森
realistisch	現実的な	Schwein, -e	中 豚
Realität, -en	女 現実	Schweiz	女 スイス
Referat, -e	中 レポート	schwer	重い、困難な
Regal, -e	中 棚	Schwester, -n	女 姉妹
regnen	雨が降る	schwimmen	泳ぐ
reich	裕福な	sechs	6
Reise, -n	女 旅行	sehen	見る

Sehenswürdigkeit, -en	女 名所	Studium, Studien	中 大学での勉強
sehr	非常に、とても	Stuhl, Stühle	男 イス
seid	sein の現在人称変化	suchen	探す
sein	～である、完了の助動詞	Süd	男 南
sein	所有冠詞（Lektion 4）	Südwesten	男 南西、南西部
seit	～以来	super	すばらしい
Seminar, -e	中 ゼミ	Supermarkt, Supermärkte	男 スーパーマーケット
September	男 9月		
setzen	再 座る	**T**	
sich	再帰代名詞（Lektion 9）	Tag, -e	男 日、昼間
sicher	確実な、安全な	Tante, -n	女 叔母
sie	人称代名詞（Lektion 4）	tanzen	踊る
Sie	人称代名詞（Lektion 4）	Tasche, -n	女 バッグ、カバン
sieben	7	Taschengeld	中 おこづかい
sind	sein の現在人称変化形	tausend	1000
singen	歌う	Technik, -en	女 工学、科学技術
sitzen	座っている	Tee	男 紅茶
Ski, -er	男 スキー	teil|nehmen	参加する
so	そのように、それほど	Tennis	中 テニス
Sofa, -s	中 ソファー	Text, -e	男 テキスト
sofort	すぐに	Theater, -	中 劇場
sogenannt	いわゆる	Thema, Themen	中 テーマ
Sohn, Söhne	男 息子	tief	深い
solcher	そのような	Tisch, -e	男 テーブル、机
sollen	すべきだ	Titel, -	男 タイトル
Sommer	男 夏	Tochter, Töchter	女 娘
Sommerferien	複 夏休み	tragen	運ぶ、身につけている
Sonderangebot, -e	中 特価品	trank	trinken の過去基本形
Sonderling, -e	男 変わり者	treffen	会う
Sonnabend	男 土曜日（主にドイツ北部で）	trinken	飲む
Sonntag	男 日曜日	trotz	～にもかかわらず
sonst	そのほかに	T-Shirt, -s	中 Tシャツ
Soziologie	女 社会学	Tschüs	中 バイバイ
Spanien	中 スペイン	tun	する、行う
Spanisch	中 スペイン語	Tür, -en	女 ドア
Spaß, Späße	男 冗談、楽しさ	Turm, Türme	男 塔
spät	遅い		
spazieren gehen	散歩する	**U**	
Spiel, -e	中 遊び、ゲーム	üben	練習する
spielen	遊ぶ、プレイする、演奏する	über	～の上方
Sprache, -n	女 言語、言葉	überallhin	いたるところへ
sprechen	話す	überlegen	よく考える
Stadt, Städte	女 町	übermorgen	明後日
Stadtmitte	女 町の中心部	übernachten	宿泊する
Stadtplan, Stadtpläne	男 市街地図	übersetzen	翻訳する
stand	stehen の過去基本形	übertreiben	誇張する
statt	～の代わりに	übrigens	ところで
statt|finden	開催される	Uhr, -en	女 時計、～時
stehen	立っている	um	～の周りに、～時に
Stehlampe, -n	女 スタンド	um|bilden	改造する
Stein, -e	男 石	Umweltschutz	男 環境保護
Stelle, -n	女 場所	Umzug, Umzüge	男 引越
stellen	立てる	unbedingt	絶対に
sterben	死ぬ	und	そして
Steuererhöhung, -en	女 増税	Ungarn	中 ハンガリー
still	静かな	Uni, -s	女 大学（Universität の略）
stimmen	正しい、合う	Universität, -en	女 大学
stören	邪魔をする	Universitätstadt	女 大学町
Student, -en	男 学生（男）	uns	人称代名詞（Lektion 4）、再帰代名詞（Lektion 9）
Studentin, -nen	女 学生（女）		
studieren	大学で学ぶ、専攻する	unschuldig	無邪気な、罪のない

unser	所有冠詞（Lektion 4）	wenn	もし〜であれば
unter	〜の下	wer	誰が
Unterricht	男 授業	werden	〜になる
Ursache, -n	女 原因、理由	wessen	誰の
		West	西
V		Wetter	中 天気
Vase, -n	女 花瓶	WG	女 シェアハウス（の仲間）（Wohn-gemeinschaft の略）
Vater, Väter	男 父		
Verb, -en	中 動詞	wichtig	重要な
verbessern	再 改善する	wie	どのように、〜のように
verbringen	過ごす	wieder	再び
vergessen	忘れる	Wiedersehen	中 再会
verheiratet	結婚している	Wilhelm Tell	ヴィルヘルム・テル（シラーの劇作品）
verkaufen	売る		
Verlag, -e	男 出版社	Wind, -e	男 風
versichern	保証する	Winter	男 冬
verspäten	再 遅れる	wir	人称代名詞（Lektion 4）
verstehen	理解する	wird	werden の現在人称変化
viel	多くの	wirst	werden の現在人称変化
vielleicht	ひょっとすると	Wirtschaft, -en	女 経済
vier	4	Wirtschaftswissenschaft,-en	女 経済学
Viertel, -	中 4 分の 1	wissen	知っている
Vietnamesisch	中 ベトナム語	Wissenschaft, -en	女 学問、科学
Villa, Villen	女 別荘	wo	どこ
Vogel, Vögel	男 鳥	Woche, -n	女 週
Volk, Völker	中 民族、国民、民衆	Wochenende, -n	中 週末
vom	von dem	wofür	何のために
von	〜から、〜の（冠詞の 2 格と同じ意味）	woher	どこから
		wohin	どこへ
vor	〜の前	wohnen	住んでいる
vorbei	通り過ぎて	Wohnhaus, -häuser	中 住居
vorgestern	おととい	wollen	つもりだ
vor|haben	予定している	Wort, Wörter	中 言葉
Vorlesung, -en	女 講義	Wörterbuch, Wörterbücher	中 辞書
Vortrag, Vorträge	男 講演	Wunsch, Wünsche	男 願い
VW, -s	男 フォルクスワーゲン（Volkswagen）の略		
		Z	
		zahlen	支払う
W		zehn	10
Wagen, -	男 自動車	zeigen	見せる、示す
wählen	選ぶ	Zeit, -en	女 時間
wahr	真実の	Zeitschrift, -en	女 雑誌
während	〜のあいだ	Zeitung, -en	女 新聞
Wand, Wände	女 壁	zerstören	破壊する
wann	いつ	ziemlich	かなり
war	sein の過去基本形	Zimmer, -	中 部屋
warten	待つ	zu	〜へ、〜のところへ
was	何	Zucker, -	男 砂糖
waschen	洗う	Zug, Züge	男 列車
Wasser	中 水	Zukunft, Zukünfte	女 未来、将来
wegen	〜のために、〜のせいで	zum	zu dem
weil	〜なので	zur	zu der
Wein	男 ワイン	zurück|kommen	帰ってくる
weiß	白い	zurzeit	現在、目下のところ
weiß	wissen の現在人称変化	zusammen	いっしょに
weißt	wissen の現在人称変化	zu|schlagen	バタンと閉める
welcher	どの	zwei	2
wem	誰に	zwischen	〜の間
wen	誰を		

おもな不規則動詞の変化表

不定詞	直説法現在	過去基本形	接続法第2式	過去分詞
beginnen 始める、始まる		**begann**	begänne (begönne)	**begonnen**
bieten 提供する		**bot**	böte	**geboten**
binden 結ぶ		**band**	bände	**gebunden**
bitten 頼む		**bat**	bäte	**gebeten**
bleiben とどまる		**blieb**	bliebe	**geblieben**
brechen 破る	*du* brichst *er* bricht	**brach**	bräche	**gebrochen**
bringen もたらす		**brachte**	brächte	**gebracht**
denken 考える		**dachte**	dächte	**gedacht**
dürfen ～してもよい	*ich* darf *du* darfst *er* darf	**durfte**	dürfte	**gedurft** (**dürfen**)
essen 食べる	*du* isst *er* isst	**aß**	äße	**gegessen**
fahren （乗り物で）行く	*du* fährst *er* fährt	**fuhr**	führe	**gefahren**
fallen 落ちる	*du* fällst *er* fällt	**fiel**	fiele	**gefallen**
fangen 捕まえる	*du* fängst *er* fängt	**fing**	finge	**gefangen**
finden 見つける		**fand**	fände	**gefunden**
fliegen 飛ぶ		**flog**	flöge	**geflogen**
geben 与える	*du* gibst *er* gibt	**gab**	gäbe	**gegeben**
gehen 行く		**ging**	ginge	**gegangen**
gelingen うまくいく	*es* gelingt	**gelang**	gelänge	**gelungen**
genießen 楽しむ		**genoss**	genösse	**genossen**

不定詞	直説法現在	過去基本形	接続法第2式	過去分詞
geschehen 起こる	*es* geschieht	**geschah**	geschähe	**geschehen**
gewinnen 得る		**gewann**	gewänne (gewönne)	**gewonnen**
graben 掘る	*du* gräbst *er* gräbt	**grub**	grübe	**gegraben**
greifen つかむ		**griff**	griffe	**gegriffen**
haben 持っている	*du* hast *er* hat	**hatte**	hätte	**gehabt**
halten つかんでいる	*du* hältst *er* hält	**hielt**	hielte	**gehalten**
hängen かかっている		**hing**	hinge	**gehangen**
heben 上げる		**hob**	höbe	**gehoben**
heißen 〜と呼ばれる		**hieß**	hieße	**geheißen**
helfen 助ける	*du* hilfst *er* hilft	**half**	hülfe (hälfe)	**geholfen**
kennen 知る		**kannte**	kennte	**gekannt**
kommen 来る		**kam**	käme	**gekommen**
können 〜できる	*ich* kann *du* kannst *er* kann	**konnte**	könnte	**gekonnt** **(können)**
laden 積む	*du* lädst *er* lädt	**lud**	lüde	**geladen**
lassen 〜させる	*du* lässt *er* lässt	**ließ**	ließe	**gelassen**
laufen 走る	*du* läufst *er* läuft	**lief**	liefe	**gelaufen**
lesen 読む	*du* liest *er* liest	**las**	läse	**gelesen**
liegen 横たわっている		**lag**	läge	**gelegen**
mögen 好きである 〜かもしれない	*ich* mag *du* magst *er* mag	**mochte**	möchte	**gemocht** **(mögen)**
müssen 〜しなければならない	*ich* muss *du* musst *er* muss	**musste**	müsste	**gemusst** **(müssen)**

不定詞	直説法現在	過去基本形	接続法第2式	過去分詞
nehmen 取る	*du* nimmst *er* nimmt	**nahm**	nähme	**genommen**
nennen 名を言う		**nannte**	nennte	**genannt**
raten 助言する	*du* rätst *er* rät	**riet**	riete	**geraten**
reiten 馬に乗る		**ritt**	ritte	**geritten**
rufen 叫ぶ		**rief**	riefe	**gerufen**
scheinen 〜に見える，輝く		**schien**	schiene	**geschienen**
schlafen 眠っている	*du* schläfst *er* schläft	**schlief**	schliefe	**geschlafen**
schlagen 打つ	*du* schlägst *er* schlägt	**schlug**	schlüge	**geschlagen**
schließen 閉じる		**schloss**	schlösse	**geschlossen**
schneiden 切る		**schnitt**	schnitte	**geschnitten**
schreiben 書く		**schrieb**	schriebe	**geschrieben**
schreien 叫ぶ		**schrie**	schriee	**geschrie[e]n**
schweigen 黙る		**schwieg**	schwiege	**geschwiegen**
schwimmen 泳ぐ		**schwamm**	schwömme (schwämme)	**geschwommen**
sehen 見る	*du* siehst *er* sieht	**sah**	sähe	**gesehen**
sein 〜である	*ich* bin *du* bist *er* ist	**war**	wäre	**gewesen**
singen 歌う		**sang**	sänge	**gesungen**
sinken 沈む		**sank**	sänke	**gesunken**
sitzen すわっている		**saß**	säße	**gesessen**
sollen 〜すべきである	*ich* soll *du* sollst *er* soll	**sollte**	sollte	**gesollt** **(sollen)**

不定詞	直説法現在	過去基本形	接続法第2式	過去分詞
sprechen 話す	*du* sprichst *er* spricht	**sprach**	spräche	**gesprochen**
stehen 立っている		**stand**	stünde (stände)	**gestanden**
steigen 登る		**stieg**	stiege	**gestiegen**
sterben 死ぬ	*du* stirbst *er* stirbt	**starb**	stürbe	**gestorben**
tragen 運ぶ	*du* trägst *er* trägt	**trug**	trüge	**getragen**
treffen 出会う	*du* triffst *er* trifft	**traf**	träfe	**getroffen**
treiben 追う		**trieb**	triebe	**getrieben**
treten 歩む	*du* trittst *er* tritt	**trat**	träte	**getreten**
trinken 飲む		**trank**	tränke	**getrunken**
tun する		**tat**	täte	**getan**
vergessen 忘れる	*du* vergisst *er* vergisst	**vergaß**	vergäße	**vergessen**
verlieren 失う		**verlor**	verlöre	**verloren**
verschwinden 消える		**verschwand**	verschwände	**verschwunden**
wachsen 成長する	*du* wächst *er* wächst	**wuchs**	wüchse	**gewachsen**
waschen 洗う	*du* wäschst *er* wäscht	**wusch**	wüsche	**gewaschen**
wenden 向ける		**wandte**	wendete	**gewandt**
werden ～になる	*du* wirst *er* wird	**wurde**	würde	**geworden** (worden)
werfen 投げる	*du* wirfst *er* wirft	**warf**	würfe	**geworfen**
wissen 知っている	*ich* weiß *du* weißt *er* weiß	**wusste**	wüsste	**gewusst**
wollen ～したい	*ich* will *du* willst *er* will	**wollte**	wollte	**gewollt** (wollen)
ziehen 引く		**zog**	zöge	**gezogen**

須藤　勲
千葉工業大学教授

鶴田涼子
明星大学准教授

髙松佑介
千葉工業大学助教

Viel Erfolg! Neu
Deutsch für Anfänger

新・フィール・エアフォルク！
—はじめてのドイツ語—

2014年2月1日	初版発行
2018年2月1日	改訂版初版発行
2025年2月1日	新訂版初版発行

定価　本体 2,500 円（税別）

編者	須藤　勲
	鶴田涼子
	髙松佑介
発行者	近藤孝夫
印刷所	萩原印刷株式会社
発行所	株式会社　同学社

〒112-0005　東京都文京区水道 1-10-7
☎ (03) 3816-7011 (代表)・振替 00150-7-166920

ISBN 978-4-8102-0897-9　　　　　Printed in Japan

表紙デザイン：アップルボックス
本文イラスト：渡邉奈央子

許可なく複製・転載すること並びに部分的にもコピーすることを禁じます。

最新刊

APOLLON

第4版

アポロン独和辞典

根本・恒吉・成田・福元・重竹・堺・嶋﨑　[共編]
B6判・1864頁・箱入り・2色刷　　定価 本体4,200円（税別）
ISBN 978-4-8102-0007-2

「時代とともに歩む」最新の学習ドイツ語辞典！
初学者にやさしく、実用に堪える充実の内容

◆ 実用に十分な5万語を収録、「旬」のドイツ語を大幅増補
◆ すぐ読める親切なカナ発音付き
◆ 学習段階に応じ見出し語を5段階表示、CEFRレベルも併記
◆ 「読む・書く・話す」を強力に支援
◆ 枠囲み例文の100例文に、韻律の立体表記を採用
◆ 上記100例文のほか「日常会話」「発音について」などにも音声を用意
◆ ドイツが見える「ミニ情報」をアポロン君とアルテミスさんの会話調に

巻末付録：和独の部／日常会話／メール・手紙の書き方／音楽用語／環境用語／福祉用語
建築様式／ドイツの言語・政治機構・歴史／ヨーロッパ連合と欧州共通通貨ユーロ
発音について／最新の正書法のポイント／文法表／動詞変化表

やさしい！ドイツ語の学習辞典

根本道也　編著
B6判・770頁・箱入り・2色刷　　定価 本体2,500円（税別）　ISBN 978-4-8102-0005-8

◇ 見出し語総数約7000語、カナ発音付き
◇ 最重要語600語は、大きな活字で色刷り
◇ 最重要語の動詞や名詞の変化形は一覧表でそのつど表示
◇ 一段組の紙面はゆったりと見やすく、目にやさしい
◇ 巻末付録：「和独」「簡単な旅行会話」「文法」「主な不規則動詞変化表」

同学社　〒112-0005 東京都文京区水道1-10-7
Tel 03-3816-7011　Fax 03-3816-7044　http://www.dogakusha.co.jp/

新・フィール・エアフォルク！
－はじめてのドイツ語－

須藤　勲・鶴田涼子・髙松佑介

別冊練習問題

同学社

Lektion 1

[ ] 内の動詞を、( ) 内にふさわしい形にして入れてみよう。

1. Ich (　　　　) Gitarre.　[spielen]

2. (　　　　) Sie Deutschland?　[lieben]

3. Ich (　　　　) aus Frankreich.　[kommen]

4. Er (　　　　) heute nicht.　[arbeiten]

5. (　　　　) du gern Klassik?　[hören]

6. Ich (　　　　) morgens Kaffee.　[trinken]

7. Ich (　　　　) Mariko.　[heißen]

8. Er (　　　　) schon lange Japanisch.　[lernen]

9. Ich (　　　　) jetzt in Österreich.　[wohnen]

10. Wohin (　　　　) du heute?　[gehen]

11. Ich (　　　　) ein Buch.　[kaufen]

12. Er (　　　　) gern.　[reisen]

13. Ich (　　　　) Robotik.　[studieren]

14. (　　　　) du gern?　[kochen]

15. Was (　　　　) du heute?　[machen]

日本語訳

✎ 左ページの問題ができたら、今度は日本語訳を見たらすぐにそのドイツ語が言えるように練習しよう。

1. 私はギターを弾きます。

2. あなたはドイツを愛していますか？

3. 私はフランスから来ました。

4. 彼は、今日は働きません。

5. クラシック音楽は好きですか？

6. 僕は、朝はコーヒーを飲みます。

7. 私は真理子といいます。

8. 彼はもう長く日本語を勉強しています。　（schon lange: すでに長く）

9. 私は今オーストリアに住んでいます。

10. 今日はどこへ行くの？

11. 僕は一冊の本を買います。

12. 彼は旅行が好きです。

13. 私はロボット工学を専攻しています。

14. 君は料理は好きですか？

15. 君は今日何をしますか？

Lektion 2

（　）内に、日本語の意味に合うように、定冠詞（d-）、不定冠詞（e-）を入れてみよう。

1. (D　　　　) Frau ist Ärztin.

2. Ich danke (d　　　　) Arzt.

3. Kennst du (d　　　　) Film?

4. (D　　　　) Studentin studiert Informatik.

5. Hörst du heute (d　　　　) Vorlesung?

6. Er schenkt (d　　　　) Frau (e　　　　) Strauß.

7. Er hat (e　　　　) Hund und (e　　　　) Katze.

8. Ich besuche (d　　　　) Professor.

9. Ich kaufe (e　　　　) Apfel und (e　　　　) Orange.

10. (D　　　　) Forscherin wohnt in Berlin.

11. Hast du (e　　　　) Auto?

12. (D　　　　) Frau schenkt er (e　　　　) Ring.

13. (D　　　　) Uhr (d　　　　) Frau ist sehr teuer.

14. Was schenkst du (d　　　　) Kind?

15. Ich kenne (d　　　　) Titel (d　　　　) Films.

日本語訳

✎ 左ページの問題ができたら、今度は日本語訳を見たらすぐにそのドイツ語が言えるように練習しよう。

1. その女性は医者です。

2. 私はそのお医者さんに感謝している。

3. 君はその映画 [男] を知っていますか？

4. その女子学生は情報科学を学んでいます。

5. 君は、今日はその講義 [女] を聞く？

6. 彼はその女性に花束 [男] を贈ります。

7. 彼は一匹の犬 [男] と一匹の猫 [女] を飼っています。

8. 私はその教授（男性）を訪問します。

9. 私は一つのリンゴ [男] と、一つのオレンジ [女] を買います。

10. その研究者（女性）はベルリンに住んでいます。

11. 君は車 [中] を持っていますか？

12. その女性に、彼は指輪 [男] を贈ります。

13. その女性の時計 [女] はとても高価です。

14. 君はその子どもに何をプレゼントするんですか？

15. 私はその映画 [男] のタイトル [男] を知っています。

Lektion 3

（　）内に、[　]内の動詞を主語に合わせて入れよう。

1. Ich (　　　　　) das Buch.　[lesen]

2. Sie (　　　　　) heute Abend den Film.　[sehen]

3. (　　　　　) du morgen nach Nagoya?　[fahren]

4. Ich (　　　　　) die Jacke.　[nehmen]

5. Er (　　　　　) Arzt.　[werden]

6. (　　　　　) ihr Pizza?　[essen]

7. (　　　　　) du das?　[wissen]

8. Er (　　　　　) dem Lehrer.　[helfen]

9. (　　　　　) du Deutsch?　[sprechen]

10. Er (　　　　　) dem Kind einen Kaugummi.　[geben]

11. Immer (　　　　　) sie einen Roman.　[lesen]

12. Er (　　　　　) heute eine Krawatte.　[tragen]

13. Er (　　　　　) heute ein Referat.　[halten]

14. Sie (　　　　　) bald Großmutter.　[werden]

15. Was (　　　　　) du heute?　[nehmen]

日本語訳

✎ 左ページの問題ができたら、今度は日本語訳を見たらすぐにそのドイツ語が言えるように練習しよう。

1. 私はその本を読みます。

2. 彼女は今晩その映画を見ます。

3. 君は明日名古屋へ行くんですか？

4. そのジャケットをいただきます。　（店で）

5. 彼は医者になります。

6. 君たちはピザを食べますか？

7. 君はそれを知っているかい？

8. 彼はその教師を手伝います。

9. 君はドイツ語を話しますか？

10. 彼はその子にガム 男 をあげます。

11. いつも彼女は小説 男 を読みます。

12. 彼は、今日はネクタイをしています。

13. 彼は今日ゼミ発表します。

14. 彼女はまもなくおばあちゃんになります。

15. 君は、今日は何を注文しますか？　（食堂などで）

Lektion 4

1〜7には下線部に適切な人称代名詞を入れ、8〜15には下線部に適切な定冠詞類、不定冠詞類（所有冠詞、否定冠詞）を入れよう。

1. Ich habe einen Hund. _____ ist sehr klug.

2. Ich besuche _____ morgen.

3. Er hilft _____.

4. Ich gebe _____ einen Apfel.

5. Ich danke _____.

6. Er schreibt _____ eine E-Mail.

7. Ich sehe _____ oft.

8. Das ist _____ Vater.

9. Ich finde _____ Romane sehr interessant.

10. Leider habe ich _____ Zeit.

11. _____ Wagen gehört _____ Mutter.

12. _____ Buch kaufst du?

13. Ich habe _____ Fahrrad.

14. Ich suche _____ Tasche.

15. Wir nehmen _____ Bus.

日本語訳

- 左ページの問題ができたら、今度は日本語訳を見たらすぐにそのドイツ語が言えるように練習しよう。

1. 私は犬 男 を飼っています。その犬はとても賢いんです。

2. 私は明日彼女を訪問します。

3. 彼は私たちを手伝ってくれます。

4. 君にリンゴ 男 を一つあげるよ。

5. ぼくは君たちに感謝しています。

6. 彼は彼女にメール 女 を書く。

7. 私は彼をよく見かけます。

8. これが私の父です。

9. 私は彼女の小説（複数形）をとても面白いと思います。

10. 残念ながら時間 女 がありません。

11. この車 男 は、私の母のものです。

12. どの本 中 を君は買うの？

13. 私は自転車 中 を持っていません。

14. 私は私のバッグ 女 を探しています。

15. 私たちはこのバス 男 に乗ります。

Lektion 5

（　）内に前置詞を、〔　〕内に定冠詞を入れ文を完成させよう。融合形とある場合、前置詞と定冠詞の融合形を（　）に入れよう。

1. Er fährt (　　　) 〔　　　〕 Bus nach Tokio.

2. Ich gehe heute (　　　) Schule.　（融合形）

3. (　　　) 〔　　　〕 Bibliothek steht ein Schüler.

4. Ich warte (　　　) 〔　　　〕 Bus.

5. Ich esse heute (　　　) 〔　　　〕 Mensa.

6. Ein Computer steht (　　　) 〔　　　〕 Tisch.

7. Ich setze die Puppe (　　　) 〔　　　〕 Sofa.

8. Ich wohne (　　　) 〔　　　〕 Stadtmitte.

9. (　　　) 〔　　　〕 Rathaus liegt eine Apotheke.

10. (　　　) 〔　　　〕 Bett schläft eine Katze.

11. Wir gehen (　　　) Restaurant.　（融合形）

12. Er liegt (　　　) Krankenhaus.　（融合形）

13. Sie kommt (　　　) 〔　　　〕 Zimmer.

14. (　　　) 〔　　　〕 Essen trinkt er Kaffee.

15. Dieses Buch bestelle ich (　　　) Internet.　（融合形）

日本語訳

- 左ページの問題ができたら、今度は日本語訳を見たらすぐにそのドイツ語が言えるように練習しよう。

1. 彼はバス 男 で東京に行きます。

2. 私は今日学校 女 へ行きます。

3. 図書館 女 の前に、一人の生徒が立っています。

4. 私はバスを待っています。 （warten auf ＋ 4 格：～を待つ）

5. 私は、今日は学生食堂 女 で食べます。 （in を使って）

6. コンピューターが机 男 の上にあります。

7. 私は人形をソファ 中 の上に置きます。

8. 私は街中 女 に住んでいます。

9. 市庁舎 中 の横に、薬局 女 があります。

10. ベッド 中 の上に猫が寝ています。

11. 私たちは、そのレストランへ行きます。 （in を使って）

12. 彼は入院中です。 （Krankenhaus: 中 病院）

13. 彼女は部屋の中から出てきます。

14. 食事 中 の後に、彼はコーヒーを飲みます。

15. この本を私はインターネット 中 で注文します。 （in を使って）

Lektion 6

1～10 は、[ ] 内の分離・非分離動詞を使って、次の文を完成させよう。
11～16 は、日本語訳に合うように、従属接続詞、疑問詞を（ ）内に入れよう。

1. Ich _____ dich morgen _____. [an|rufen]

2. Er _____ ein Geschenk zum Geburtstag. [bekommen]

3. _____ du mich? [verstehen]

4. Ich _____ bald _____. [zurück|kommen]

5. Er _____ in der Stadt _____. [ein|kaufen]

6. Der Zug _____ um 19 Uhr _____. [an|kommen]

7. Ich _____ jetzt _____, Jura zu studieren. [vor|haben]

8. Wann _____ der Zug nach München _____? [ab|fahren]

9. _____ du _____? [mit|kommen]

10. Ich _____ selten _____. [fern|sehen]

11. ( ) ich keine Vorlesung habe, gehe ich heute nicht zur Uni.

12. Ich weiß nicht, ( ) er morgen kommt.

13. Weißt du, ( ) die Vorlesung anfängt?

14. ( ) das Wetter schön ist, spielen sie Tennis.

15. Ich warte hier, ( ) du kommst.

日本語訳

✐ 左ページの問題ができたら、今度は日本語訳を見たらすぐにそのドイツ語が言えるように練習しよう。

1. 君に明日電話します。

2. 彼は誕生日にプレゼント 中 をもらいます。 （Geburtstag: 男 誕生日）

3. 私の言うことがわかるかい？

4. 私はすぐに戻ります。

5. 彼は街で買い物します。 （ein|kaufen: 買い物をする）

6. その列車は19時に到着します。

7. 私は今のところ、法学を専攻するつもりです。 （vor|haben: するつもりである）

8. いつ、ミュンヘン行きの列車は出発しますか？

9. 一緒に来るかい？ （mit|kommen: 一緒に来る）

10. 私はめったにテレビを見ません。 （fern|sehen: テレビを見る、selten: めったに〜ない）

11. 講義がないので、今日は大学へ行きません。

12. 私は、彼が明日来るのかどうか知りません。

13. 講義が何時に始まるか知っているかい？

14. 天気がよければ、彼らはテニスをします。

15. 私は、君が来るまでここで待ちます。 （warten: 待つ）

Lektion 7

日本語の意味に合うように、（　）内に適切な助動詞を入れてみよう。

1. Ich (　　　　　) Klavier spielen.

2. Wir (　　　　　) nach Deutschland fliegen.

3. Am Sonntag (　　　　　) er arbeiten.

4. Heute (　　　　　) du nicht zur Uni gehen.

5. Ich (　　　　　) sie heute Abend anrufen.

6. Man (　　　　　) hier nicht essen und trinken.

7. Mariko (　　　　　) gut Deutsch sprechen.

8. Er (　　　　　) an diesem Seminar teilnehmen.

9. Sie (　　　　　) Studentin sein.

10. Du (　　　　　) heute nicht jobben.

11. (　　　　　) ich etwas fragen?

12. (　　　　　) du mir helfen?

13. Er (　　　　　) krank sein.

14. Was (　　　　　) du damit sagen?

15. Ich weiß nicht, ob er Auto fahren (　　　　　).

日本語訳

✐ 左ページの問題ができたら、今度は日本語訳を見たらすぐにそのドイツ語が言えるように練習しよう。

1. 私はピアノを弾くことができます。

2. 私たちはドイツへ行くつもりです。

3. 日曜日に、彼は仕事をしなくてはなりません。

4. 今日は、君は大学へ行く必要はありません。

5. 私は今晩、彼女に電話しなくてはならない。

6. ここは、飲食禁止です。

7. 真理子は上手にドイツ語を話せます。

8. 彼はこのゼミに参加すべきだ。

9. 彼女は大学生かもしれない。

10. 君は、今日はバイトする必要はない。

11. 質問してもよろしいでしょうか？

12. 私を手伝ってくれないか？

13. 彼は病気にちがいない。

14. 君はそれで何が言いたいんだい？

15. 私は、彼が車を運転できるかどうか知りません。

Lektion 8

1～6の文は（ ）内の不定詞を用いて過去形に、7～15の文は助動詞に注意しながら現在完了形にしましょう。

1. Wie _____ Ihre Ferienreise?　(sein)

2. Wo _____ du gestern?　(sein)

3. Ich _____ früher in Kioto eine Wohnung.　(haben)

4. Mozart _____ in Prag die Oper „Don Giovanni".　(komponieren)

5. Mein Großvater _____ mit einem Hund allein in einem Dorf.　(leben)

6. Als Student _____ er viele Feldarbeiten.　(machen)

7. _____ Sie schon den „Faust" von Goethe _____?　(lesen)

8. In den Sommerferien _____ wir mit dem Mietauto durch Bayern _____.　(reisen)

9. Ich _____ den Führerschein _____, um jedes Wochenende mit ihr eine Ausfahrt zu machen.　(machen)

10. _____ du schon mit ihm über das Problem _____?　(sprechen)

11. Ohne ein Wort zu sprechen, _____ sie aus dem Zimmer _____.　(gehen)

12. Ich _____ gestern den ganzen Abend _____.　(fern|sehen)

13. Schließlich _____ er wegen seiner Überarbeit krank _____.　(werden)

14. _____ du schon den Bericht _____?　(fertig|machen)

15. Sie _____ _____, an der Uni weiter zu studieren.　(beschließen)

日本語訳

✐ 左ページの問題ができたら、今度は日本語訳を見たらすぐにそのドイツ語が言えるように練習しよう。

1. 休暇旅行はいかがでしたか？
2. 君は昨日、どこにいたんだい？
3. 私は以前京都にマンション 囡 を所有していた。
4. モーツァルトはプラハでオペラ《ドン・ジョヴァンニ》を作曲した。
5. 私の祖父は一匹の犬と一緒にある村 囲 で一人暮らしをしていた。
6. 学生のとき彼はたくさんフィールドワークを行った。
7. あなたはもうゲーテの『ファウスト』を読まれましたか？
8. 夏休みにわれわれはレンタカーでバイエルンをあちこち旅行しました。

9. ぼくは毎週末彼女とドライブをするために、車の免許 男 を取ったんだ。

    （um~zu: ～するために［教科書補足を参照］）

10. 君はその問題 囲 についてもう彼と話をしましたか？
11. 一言もしゃべらずに、彼女は部屋を出て行った。

    （ohne~zu: することなしに［教科書補足を参照］）

12. 私は昨日は一晩中テレビを見ていた。
13. 結局、彼は過労 囡 のために病気になった。

    （wegen: ～のために［2格支配の前置詞：教科書補足を参照］）

14. 君はもうレポート 男 を仕上げたかい？
15. 彼女は大学に残って勉強を続ける決心をした。

Lektion 9

1～10の文は（ ）内の不定詞を用いて指示通りの受動文に、11～15は再帰動詞の文（現在形）にしましょう。

1. Das Stadtmuseum _____ von dem Archtekt _____. (bauen - 現在)
2. Der Turm _____ im Zweiten Weltkrieg durch Bomben _____.
   (zerstören - 過去)
3. Sie _____ bei einem Verkehrsunfall schwer _____.
   (verletzen - 過去)
4. Dieses Bild _____ vor etwa 500 Jahren von Dürer _____.
   (malen - 過去)
5. Das Hotel _____ vor zwei Jahren _____ _____.
   (renovieren - 現在完了)
6. Der Roboter _____ von einem japanischen Forscher
   _____ _____. (bauen - 現在完了)
7. Heutzutage _____ auch in Japan viel _____. (reisen - 現在)
8. Über das Thema _____ lebhaft _____. (diskutieren - 過去)
9. Auch am Sonntag _____ der Laden _____. (öffnen - 状態受動)
10. Ihr Zimmer _____ immer _____. (sauber|halten - 状態受動)
11. Ich _____ _____ seit langem für deutsche Klassik.
    (sich interessieren)
12. Sie _____ _____ schon auf die Japanreise. (sich freuen)
13. Das kann ich _____ nicht leicht _____. (sich vor|stellen)
14. Wir _____ _____ oft im Café. (sich treffen)
15. Es _____ _____ bei ihm um ihren Bruder. (sich handeln)

日本語訳

✏ 左ページの問題ができたら、今度は日本語訳を見たらすぐにそのドイツ語が言えるように練習しよう。

1. 市立美術館はその建築家によって建てられる。
2. その塔 男 は第二次世界大戦中に爆撃で破壊された。
3. 彼女はある交通事故 男 で重傷を負った。
4. この絵はほぼ五百年前にデューラーによって描かれた。
5. そのホテル 中 は二年前に改装された。
6. そのロボット 男 はある日本の研究者によって製作された。
7. 今日では日本でも旅行がさかんだ。
8. そのテーマ 中 について活発に議論がなされた。
9. 日曜日もその店 男 は開いている。
10. 彼女の部屋はいつもきれいにしている。
11. 私は以前からドイツのクラシック音楽に関心がある。　（seit langem: 以前から）
12. 彼女はいまから日本旅行を楽しみにしている
13. そんなことは私には容易に想像できません。
14. 私たちはよく喫茶店 中 で会う。
15. 彼は彼女のお兄さんだ。

Lektion 10

1〜10までは下線部に定関係代名詞を、11〜15には指示に従い、関係副詞、不定関係代名詞を入れよう。

1. Wem gehört der BMW, _____ dort vor dem Laden steht?
2. Die Frau, _____ im Park mit einem Hund spazieren geht, ist seine Mutter.
3. Der alte Herr, _____ ich beim Aussteigen aus dem Zug geholfen habe, ist unser Professor.
4. Der Student, _____ Vater neulich gestorben ist, jobbt jetzt fleißig.
5. Wer ist das Mädchen, _____ du eben freundlich angesprochen hast?
6. Das Städtchen, in _____ ich meine Kindheit erlebte, liegt am Rhein.
7. Er hat einen VW gekauft, mit _____ er mit seiner Freundin nach Kioto fahren will.
8. Mein Freund, über _____ ich dir oft gesprochen habe, kommt nächste Woche zu uns.
9. Der Roman, _____ du mir empfohlen hast, ist leider für mich ziemlich langweilig.
10. Der Freund, mit _____ ich früher oft gereist bin, ist jetzt an einer Uni als Professor tätig.
11. Der Tag, _____ ich sie zum ersten Mal sah, war ein schöner Herbsttag. （関係副詞）
12. Das Hotel, _____ wir in Berlin eine Woche wohnen, liegt in der Nähe vom Bahnhof. （関係副詞）
13. _____ zuletzt lacht, lacht am besten. （不定関係代名詞）
14. _____ er sagt, entspricht oft nicht der Tatsache. （不定関係代名詞）
15. Alles, _____ in diesem Artikel steht, ist falsch. （不定関係代名詞）

日本語訳

✐ 左ページの問題ができたら、今度は日本語訳を見たらすぐにそのドイツ語が言えるように練習しよう。

1. 店の前に停まっているあのBMW 男 は誰のだい？
2. 公園で犬をつれて散歩をしている婦人は、彼のお母さんだ。
3. 列車から降りる際に手を貸してあげたあの老紳士は、ぼくらの先生だ。
4. 父親が最近亡くなったあの学生は、今熱心にアルバイトをしている。
5. 君がたった今親しげに話しかけていたあの娘 田 は誰だい？
6. 私が幼年時代 女 を過ごした小さな町 田 は、ライン河畔にある。
7. 彼はフォルクスワーゲン 男 を買ったが、それでガールフレンドと京都へ行くつもりだ。
8. あなたにたびたび話してあげた例の友人（男性）が、来週わが家に来るのよ。
9. 君がぼくに勧めてくれた小説 男 は、残念ながら僕にはかなり退屈だ。
10. 私が以前よく一緒に旅行したあの友人は、現在はある大学で教授として働いている。　（tätig: 勤めている）
11. 私が初めて彼女を見たのは、ある晴れた秋の日 男 だった。
12. われわれがベルリンで一週間滞在するホテル 田 は、駅 男 の近くにある。
13. 最後に笑う者が、一番よく笑う。
14. 彼が言うことは、しばしば事実 女 に反する。　（entsprechen: 一致する）
15. その記事 男 に書いてあることは、すべて間違っている。

Lektion 11

（　）内の形容詞、副詞を 1〜7 は原級に、8〜15 は指示に従い比較級、最上級の形で下線部に入れてみよう。

1. Der _____ Wagen gehört seiner _____ Tochter.　(rot, jung)
2. Die _____ Kirche ist berühmt dafür, dass der _____ Bach dort als Kantor arbeitete.　(schön, groß)
3. Das ist eine _____ Idee!　(gut)
4. Wie _____ ist diese Landschaft!　(schön)
5. Ihre Großmutter war früher eine _____, _____ Schauspielerin. (schön, berühmt)
6. Die _____ Frau mit einem _____ Hund ist seine Großmutter. (alt, alt)
7. In einer _____ Stadt führt man oft ein _____, aber _____ Leben.　(groß, bequem, einsam)
8. Ich kann mir einen _____ Garten als diesen nicht vorstellen. (schön - 比較級)
9. Die Lebensdauer der Katze ist _____ als die des Hundes. (lang - 比較級)
10. Diese Kirche ist _____ als die, die wir vorhin gesehen haben. (alt - 比較級)
11. Der Professor ist an unserer Fakultät der _____.　(streng - 最上級)
12. Du hast eben den _____ Punkt erwähnt.　(wichtig - 最上級)
13. Der _____ Berg in Japan ist natürlich der Fuji.　(hoch - 最上級)
14. Der Porsche fährt wohl _____.　(schnell - 最上級)
15. Ich trinke gern Bier, _____ Wein, _____ Sake. (gern - 比較級、最上級)

日本語訳

✎ 左ページの問題ができたら、今度は日本語訳を見たらすぐにそのドイツ語が言えるように練習しよう。

1. あの赤い車は彼の若い娘さんのものだ。
2. そのきれいな教会は、あの偉大なバッハがカントルとして働いていたことで有名だ。
3. それはいい考え 囡 だ！
4. この風景 囡 は何て美しいのだろう！
5. 彼女の祖母はかつて有名な美人女優だった。

6. 老犬をつれたその老婦人は彼の祖母だ。

7. 大都市では人はしばしば快適だが、孤独な生活 囲 をおくる。

8. これよりも美しい庭 男 を、私は想像することができない。

9. 猫の寿命は、犬の寿命 囡 をよりも長い。

10. この教会は、先ほどわれわれが見た教会よりも古い。

11. その教授は、われわれの学部 囡 では一番きびしい。
12. 君はいま最重要な点 男 にふれたね。　（erwähnen: 言及する）
13. 日本で一番高い山 男 はもちろん富士山だ。
14. ポルシェ 男 はおそらく一番スピードが出る。
15. 私はビール 囲 を飲むのが好きですが、ワイン 男 はもっと好きで、日本酒は一番好きです。

Lektion 12

（　）内の不定詞を指示通りの接続法に変え、下線部に入れてみよう。

1. Ich _____ gern ein Glas Wasser.　(haben - 第2式)

2. Du _____ so etwas nicht sagen.　(sollen - 第2式)

3. Das _____ ein haltloses Gerücht sein.　(dürfen - 第2式)

4. Ich _____ Ihnen einige Fragen stellen.　(mögen - 第2式)

5. _____ Sie mir sagen, wie ich zum Hauptbahnhof komme?

   (können - 第2式)

6. Wenn ich Zeit _____, _____ ich mit meiner Familie viel reisen.

   (haben, werden - 第2式)

7. Wenn ich genug Geld _____, _____ ich sie heiraten und eine

   Familie gründen.　(haben, können - 第2式)

8. Ich _____ so etwas nicht getan.　(haben - 第2式)

9. Wenn ich doch eine Freundin _____!　(haben - 第2式)

10. Um ein Haar _____ mein Sohn im Fluss ertrunken.　(sein - 第2式)

11. Gott _____ Dank!　(sein - 第1式)

12. Man _____ täglich eine Tablette.　(nehmen - 第1式)

13. Der Mann behauptet, er _____ nichts gestohlen.　(haben - 第2式)

14. Der Außenminister sagte, er _____ nächste Woche für eine wichtige

    Konferenz nach Berlin.　(fliegen - 第1式)

15. Er tat, als ob er nichts bemerkt _____.　(haben - 第2式)

日本語訳

✐　左ページの問題ができたら、今度は日本語訳を見たらすぐにそのドイツ語が言えるように練習しよう。

1. お水を一杯 田 いただきたいのですが。
2. そんなことは言わないほうがいいよ。
3. それは流言飛語なのだろう。
4. 二三、質問をさせていただきたいのですが。
5. 中央駅へはどう行けばよいか、教えていただけますか？

6. 時間があれば、家族とたくさん旅行をするのだが。

7. 十分お金があれば、彼女と結婚をし、家庭を築くことができるのだが。

8. 私だったらそんなことはしなかっただろう。
9. ガールフレンドがいればなあ！
10. あやうく息子は川 男 で溺れるところだった。
11. ああ、よかった！
12. 一日一錠 女 服用のこと。
13. その男は、何も盗んでいないと言い張っている。
14. 外務大臣は、来週重要会議 女 のためにベルリンへ行くと言った。

15. 彼はまるで何にも気づかなかったかのようなふりをした。

教科書の会話練習に適宜使ってみよう。

1．自己紹介し合ってみよう。

名前	（例）Thomas		
出身	Freiburg		
居住地	München		
趣味	Computerspiele		

名前			
出身			
居住地			
趣味			

4．クラスメイトに専攻や話す言語を質問してみよう。

名前			
専攻			
言語			

8．起床時間、帰宅時間、就寝時間をたずね合ってみよう。

名前			
帰宅時間			
就寝時間			
起床時間			

9．長期休暇の予定をクラスメイトにたずねてみよう。

名前			
長期休暇の予定			

10．週末に何をしたかをクラスメイトにたずねてみよう。

名前			
週末にしたこと			